総合判例研究叢書

労働法(4)

有斐閣

労働法・編集委員

石井照久
浅井清信

序

フランスにおいて、自由法学の名とともに判例の研究が異常な発達を遂げているのは、その民法典が百五十余年の齢を重ねたからだといわれている。それに比較すると、わが国の諸法典は、まだ若い。最も古いものでも、六、七十年の年月を経たに過ぎない。しかし、わが国の諸法典は、いずれも、近代的法制を全く知らなかつたところに輸入されたものである。そのことを思えば、この六十年の間に極めて重要な判例の変遷があつたであろうことは、容易に想像がつく。事実、わが国の諸法典は、それに関連する判例の研究でこれを補充しなければ、その正確な意味を理解し得ないようになつている。

判例が法源であるかどうかの理論については、今日なお議論の余地があろう。しかし、実際問題として、多くの条項が判例によつてその具体的な意義を明かにされているばかりでなく、判例によつて特殊の制度が創造されている例も、決して少くはない。判例研究の重要なことについては、何人も異議のないことであろう。

判例の創造した特殊の制度の内容を明かにするためにはもちろんのこと、判例によつて明かにされた条項の意義を探るためにも、判例の総合的な研究が必要である。同一の事項についてのすべての判決を採り、取り扱われる事実の微妙な差異に注意しながら、総合的・発展的に研究するのでなければ、判例の研究は、決して終局の目的を達することはできない。そしてそれには、時間をかけた克明な努力を必要とする。

幸なことには、わが国でも、十数年来、そうした研究の必要が感じられ、優れた成果も少くないようになつた。いまや、この成果を集め、足らざるを補ない、欠けたるを充たし、全分野にわたる研究を完成すべき時期に際会している。

かようにして、われわれは、全国の学者を動員し、すでに優れた研究のできているものについては、その補訂を乞い、まだ研究の尽されていないものについては、新たに適任者にお願いして、ここに「総合判例研究叢書」を編むことにした。第一回に発表したものは、各法域に亘る重要な問題のうち、研究成果の比較的早くでき上ると予想されるものである。これに洩れた事項でさらに重要なもののあることは、われわれもよく知つている。やがて、第二回、第三回と編集を継続して、完全な総合判例法の完成を期するつもりである。ここに、編集に当つての所信を述べ、協力される諸学者に深甚の謝意を表するとともに、同学の士の援助を願う次第である。

昭和三十一年五月

編集代表

小野清一郎　宮沢俊義

末川　博　我妻　栄

中川善之助

凡　例

一　判例の重要なものについては、判旨、事実、上告論旨等を引用し、各件毎に一連番号を附した。

二　判例年月日、巻数、頁数等を示すには、おおむね左の略号を用いた。

大判大五・一一・八民録二二・二〇七七　(大審院判決録)

(大正五年十一月八日、大審院判決、大審院民事判決録二十二輯二〇七七頁)

大判大一四・四・二三刑集四・二六二　(大審院判例集)

最判昭二二・一二・一五刑集一・一・八〇　(最高裁判所判例集)

(昭和二十二年十二月十五日、最高裁判所判決、最高裁判所刑事判例集一巻一号八〇頁)

大判昭二・一二・六新聞二七九一・一五　(法律新聞)

大判昭三・九・二〇評論一八民法五七五　(法律評論)

大判昭四・五・二二裁判例三刑法五五　(大審院裁判例)

福岡高判昭二六・一二・一四刑集四・一四・二一一四　(高等裁判所判例集)

大阪高判昭二八・七・四下級民集四・七・九七一　(下級裁判所民事裁判例集)

最判昭二八・二・二〇行政例集四・二・二三一　(行政事件裁判例集)

名古屋高判昭二五・五・八特一〇・七〇　(高等裁判所刑事判決特報)

東京高判昭三〇・一〇・二四東京高時報六・二民二四九　(東京高等裁判所判決時報)

札幌高決昭二九・七・二三高裁特報一・二・七一　（高等裁判所刑事裁判特報）
前橋地決昭三〇・六・三〇労民集六・四・三八九　（労働関係民事裁判例集）
その他に、例えば次のような略語を用いた。
裁判所時報＝裁　時　家庭裁判所月報＝家裁月報
判例時報＝判　時　判例タイムズ＝判　タ

目　次

ユニオン・ショップ協定

野村平爾
佐藤昭夫

労働協約の人事条項

片岡曻

経営協議会

久保敬治

ユニオン・ショップ協定

野村平爾
佐藤昭夫

はしがき

協約におけるユニオン・ショップ条項に関する判例は、必ずしもそれほど少いわけではない。しかし判例の重点としたところをみると、同一点については必ずしも数多いとはいわれない。判例の流れとして確定したとみられるところも極めて僅かである。そこでほとんどの判例は、ここで触れておいた。もちろん総合判例研究なのだから、日本にはかなり多岐にわたつて学説はあるのだけれども、その方には少ししか触れていない。わたくしなりの考え方に従つて判例を配列し若干の論評を加えてみたものである。

なお、判例の検索・整理はほとんど佐藤昭夫君が担当してくれたし、かなりの部分執筆してもくれた。佐藤君執筆の部分は二人で討論の上加筆させてもらつた。だから文責はむしろ野村にあると考えている。

昭和三十四年一月

野村平爾

一　ユニオン・ショップ協定の合法性の根拠

労働組合が協約上ユニオン・ショップ(いわゆるクローズド・ショップ、ユニオン・ショップを含む)条項をかちとるということは、本来は組織をまもつて対使用者関係における交渉力を強化しようという意図にほかならない。そして、このような組合の本質的ともいうべき要求であり、国際労働組合運動の実際にあらわれてきた団結強化策であつてみれば、第二次大戦後の日本において、その合法性はもはや否定すべくもなかつたといつてよい。それは労務法制審議委員会の労働組合法草案審議過程にもあらわれたところであつたし、また現実にもユニオン・ショップ条項を含むことは、当初の協約の一般的傾向であつた(労働省編「資料労働運動史」(昭和20・21年)七三九頁以下、六五一頁以下など参照。なお戦前昭和一一年の例をみると、労働協約の数は一二一、そのうちいわゆるクローズド・ショップ、ユニオン・ショップは四二だつたといわれる。労働省労働統計調査部編「労働協約全書」九一頁)。そして最高裁でも、最初からその合法性は、当然のこととして前提されていた。

【1】「使用者が労働組合との間に締結した労働協約において、いわゆるクローズド、ショップ制の規定を設けた場合に組合がその組合員を除名したときは、別段の事情のないかぎり使用者は被除名者を解雇すべき義務あることは所論のとおりである」(大浜炭鉱上告事件、最判昭二四・四・二三刑資二六・四二五)。

ただし旧労組法(昭和二四年の改正前)では、クローズド・ショップ、オープン・ショップの問題は実際の労働運動にまかせるべきだというような考慮から(労務法制審議委員会議事録(前掲「資料労働運動史」所収、七二一頁、七三九頁以下等)参照)、直接には何らの規定もおいていなかつた。そのため判決でも――一件にすぎないが――ユニオン・ショップ協定についてその効力の有無の問題を正面からとりあげ、肯定的に効力を承認したものが存在する。

【2】「クローズドショップ制協約の効力問題については夙に争があり、本件に於ても被告は有効であると云う建前を採り、原告も特に無効を主張するものではないが実質上は無効であると云うことを留保している し、之れが法律上無効であるとするならば本件について斟酌の必要がない訳であるから、玆でその有効なりや否やを確定する必要を感ずるのである。クローズドショップ制の内容は大体に於て使用者は組合員でなければ傭入は勿論その使用の継続が出来ない。従て、組合から脱退し或は除名されて組合員でなくなれば使用者はその者の使用を継続することが出来なくなり、之を解雇せねばならぬものであると解されている。今有効説を支持するに有利な点を考えるにクローズドショップ制あるに依り、個々の組合の団結を固くし個々の組合の団結が固くなれば組合の連合体の団結も固くなり、従て労働者の多数の団結が固くなり、その利益を増進しその地位が安定する。労働者の地位の安定と云うことは経済の興隆の為必要であり（労働法第一条、労調法第一条）此のことは公共の福祉に関すると云い得る。之れに反して無効説の支持に役立つと思はれる点は個々の労働者の組合に加入しないと云う自由が害され、従て職業選択の自由が害され生存が脅かされる。使用者の雇傭の自由が害され、その結果事業経営の円滑を欠き延いて経済の興隆が妨げられる虞があり、此のことは公共の福祉に関するとも云い得ること等を挙げることが出来るであろう。ところが個々の労働者の組合に加入しない自由と云うのは元来組合は労働者の利益増進を目的とするものであると云うことを思えばかなり贅沢な自由であるとも云えるし、又労働組合は労働者の為に門戸を閉ずる訳ではなく、却て門戸を開放して出来る丈多くの労働者を収容結束しようとするものである。少くとも左様あるべきだと云うことも考えれば労働者の職業選択の自由が害されるとも思えないし、実際にもその弊害は極めて僅少であつて公共の福祉に反するとまでは云い得ないであろう。又使用者の雇傭の自由にしても組合が良心的であり、経営そのものについて協調的であれば害されることはない。現在の労働組合が凡て良心的であり、経営そのものに協調的であるかどうかは遽かに断言は出来ないけれども少くとも左様であるべきことは労働立法の教ゆるとこ

ろであり、且つ左様に在り得る筈でもあるから結局雇傭の自由が害されたり、延いて事業の円滑な経営が阻害されると云うことはあり得ないと云い得るのみならず労働協約は使用者の承諾したものである。若しクローズドショップを左様に嫌忌するなら承諾しなければ良いし、それを拒み得る丈の対抗力がないとすれば即ち止む訳である。斯様に観て来るとクローズドショップ制を無効とする理由はない。即ち法律上有効であるとせねばならぬ。そしてクローズドショップ制のある場合に除名されると被除名者は必然的に解雇されて失業し、他に就職と云うことも容易でない現情勢の下では大きな痛手を蒙むると云うことを否定することは出来ない」(東洋陶器事件、福岡地小倉支判昭二三・一二・二八労民資三・一二五――除名が正当かどうかの判断にあたり、情状としてクローズド・ショップ条項の効力を肯定した上で、除名は過酷の度が更に一層甚だしく無効だとする)。

しかも、今日では、二四年の改正によつて労組法第七条第一項但書が「但し、労働組合が特定の工場事業場に雇用される労働者の過半数を代表する場合において、その労働者がその労働組合の組合員であることを雇用条件とする労働協約を締結することを妨げるものではない」と規定することによつて、この問題は解決してしまつた。そのためその具体的適用に反対する使用者あるいは労働者としても、条項そのものの一般的違法無効論は、もはや維持できない。だから使用者にとつての今日の問題は、対労働組合運動の上で、ユニオン・ショップ的要求をどれだけ抑えられるかということに帰着してしまつている。昭和二八年の日経連の労働協約基準案は、「ユニオン・ショップ制を改めてオープン・ショップ制の建前をとること」を方針として打ち出した(同案八頁)。そして、判例においても、その後【2】でとりあげられたような、団結しない自由を否定するというユニオン・ショップ条項の基本的性格について、その合法性が問題となつたものはない。しかし現在でも、たとえば組合が併存する場合とか、非組合員の加入を組合が拒否している場合に、その効力がどこまで及ぶかといつた限界的な問題にさいしては、当然法律の規定の趣旨ないしその原理的適法性の根拠がかえりみられる。そして、いうまでもなく、それが団結の強化、団結権の保障にあることは、疑われていない。前掲【2】が、生産の再開を至上命令とした当時の事情や、旧労組法第一条第一項の文言などを反映して、「経済の興隆」といい、あるいはわざわざ公共の福祉などに論及していたのにくらべて、団結権にたいする理解がすっきりしてきている。いくつか例をあげておこう。ただし、そこからどのような具体的判断をなしているかは、それぞれ後出箇所を参照。

【3】「ショップ制（クローズド又はユニオン・ショップをいう、以下同じ）の原理的適法性の根拠は、それが労働者の団結の強化を助長し使用者との関係においてその交渉力を増強せしめ、労働者の地位の向上を可能ならしめる事が期待されることになるから……」（杉田屋印刷事件、東京都労昭三〇・六・一六棄編一一三、後出【32】）。

【4】「懲戒権の発動として除名がなされる場合、それが団結権護持のため正当に行使されてはじめてユニオン・ショップ条項はその発動の実質的根拠を有するのであつて……」（住友石炭弥生炭鉱事件、札幌地判昭三〇・七・一九労民集六・六・七五七、後出【23】）。

【5】「使用者がユニオンショップ協定に基いて組合に加入しない労働者を解雇することによつて組合加入に協力することが不当労働行為を構成しないとされた所以のものは、個々の労働者の雇傭契約上の権利を犠牲にしても、組合の団結権を擁護しようという労組法の精神に基くものであるから……」（東邦亜鉛解雇事件、東京地判昭三一・五・九労民集七・三・四六二、後出【13】）。

【6】「労働協約中にユニオン・ショップ条項を置くことを認める労働組合法第七条第一号但書の趣旨は、労働者の団結権を助長しこれを強固ならしむるに在るのに拘わらず……」（塩田組事件、兵庫地労昭三二・四・三〇　一部救編九二九、後出【29】）。

他に後出【19】【20】【27】などを参照。なおこの点に関して、判例としての意味は全くないが、旭化

成延岡工場事件だけは、唯一の例外的立場をしめしている。すなわち、

【7】「およそ憲法第二十七条に定むる勤労の権利は労働者が自己の意思に従い自己の労働を処分する完全な自由権であつて不可侵絶対的のものであることは憲法第十一条乃至第十四条の解釈上疑を容るる余地のないものであつてその自由は法律事項とされていないのであるから法律、条例又は契約によつてこれに制限を加え又は禁止抑圧せんとする処置及び約定はすべて許さるべきものではない。この法理は憲法第二十八条の勤労者の団結権及び団体行動権についても同様に解すべきものである……即ち勤労者が組合を結成する等、団結する権利は独り勤労者に属する自由権である限り勤労者が組合を結成せざることは又（又は?）一組合を脱退して他の組合を結成することも勤労者が自己の意思に基き自由に処分し得る権利であると認むべきであつてこの権利が前段説示のとおり絶対不可侵の権利である以上たとえ組合規約を以てこれに禁止制限を加え又はこれと同一効果をもたらすような約定があつても、それは前記憲法に違反し何等拘束力を有するものとはいえない」（宮崎地延岡支判昭二四・七・二〇刑資四八・二九三）。

右はピケットに関する刑事事件であり、ショップ協定の存否も認定されていない。そして争議中の、所定手続によらない組合脱退を有効とするために説示した箇所である。しかしその論理は、「勤労者が組合を結成せざること」が「絶対不可侵の権利」であり、これを制限する効果をもつ約定は無効だと評価したわけである。そして、ついで争議権と就労権との対等を説き、典型的な平和的説得論を展開したのであつた。平和的説得論の基礎にある団結権の考え方、限界をしめす例としても、はなはだ興味深いといわなければならないであろう。

二　ユニオン・ショップ協定の効力

さてその合法性に問題がないとすれば、ユニオン・ショップ条項が協定された場合には、その協定の趣旨に従つた効力が生ずる。そこで組合に加入しない者、組合から脱退した者及び組合によつて除名された者については、使用者は、原則として、これを解雇すべき債務を負うことになる。この点についても争いはない。たとえば前出【1】参照。しかし、いうまでもなく、具体的なユニオン・ショップ条項がどのような内容をもつて協定されるかは、実にさまざまである。だから、ある協定がどのような効力をもつかは、個々の場合に具体的な条項の解釈として問題になることもある。一、二の点をあげておこう。

まず協定には、「会社の従業員は原則として組合の組合員であることを要する」というように規定するが、「会社は……を解雇する」という直接的な文言形式をとらない場合もある。しかし、特に除外規定でも設けられていないかぎり、その場合にも会社に組合員以外の者を解雇する義務があることは、通常の協約解釈として当然であろう。判例も、会社は組合を除名――協約締結以前であつても――された者、あるいは組合を脱退した者、組合に加入しない者を解雇する債務を負うと解している。

【8】「協約第三十七条において会社は組合が組合員を除名したときは会社がこれを解雇するを原則として会社がその解雇を不適当とすると認めるときにおいては組合と協議する旨規定していることは当事者間に争ないところであるが協約成立以前において除名された申請人らに対してこの規定をそのまゝ適用できないことは申請人ら主張の如くである。併し乍ら協約第五条において会社の従業員はその但書における例外を除い

て原則として組合の組合員であることを要するものと規定していることは当事者間に争なく然らば会社は組合に対して原則として組合員以外の者をその従業員として使用できない義務を負担し組合は会社に対してこれに対応する権利を有すること、いわゆる広義におけるクローズド・ショップ制の原則を規定していると言うべきである。而して成立に争ない乙第十一号証……に依れば協約（第五条）但書第四号において会社と組合とが合意の上認めた者は組合員でなくして会社の従業員であり得る旨規定しているけれども成立に争ない乙第一号証……を綜合すると組合は会社に対し申請人らに対する解雇処分を張要（強要？）していることが明らかであるから組合は申請人らを右規定に依る例外者として扱う意思を有しないことを推測するに足り固より申請人らを更めて組合に復帰せしめる意思を有しないことが明らかであり会社は右組合からの要求に基ずき組合に対する協約上の債務の履行として申請人らを解雇したものであつて協約第二十九条の規定を遡及せしめたことにはならずかゝる解雇処分が違法でないことは労働組合法第七条第一号但書において明定するところである」（井関農機事件、松山地判昭二四・一二・二八労民資七・二七四）。

【9】「協約第十九条六の3には『会社は組合から除名された者を解雇する云々』と規定されてあること前示のとおり当事者間に争がなく、前顕乙第一号証中の労働協約によればその第四条には『会社の従業員は第八条に定める者を除き組合員でなければならない』と規定され、そして第八条には『従業員中非組合員を左の通りとする。一、各部の課長、……』と規定されてあることが認められるのであつて、これらの規定から見れば前記協約第十九条六の3に『会社は組合から除名された者を解雇する』旨規定されてあつてもその趣旨は参加人組合の組合員である従業員が除名されて組合員たる身分を失つた場合は勿論自らの意思に基いて組合から脱退し組合員でなくなつた者は前記第八条に該当する場合すなわち従前組合員であつた者が第八条所定の非組合員たる地位に就任するため組合から脱退したというような特別の場合を除き、会社においてその者を解雇しなければならない義務を負う旨を協定したものと解するを相当とする」として、組合を脱退し

た申請人らにたいする解雇を有効とした（茨城交通事件、水戸地判昭三二・九・一四労民集八・五・五六二）。脱退者に関する直接の規定を欠く例で、協約の解釈としては、愛光堂事件（後出【15】）、東邦亜鉛スト事件（後出【16】）も同旨である。

【10】「被告会社は新組合と労働協約を締結し、被告会社の従業員は労働協約第一条第一項各号に掲げる者……を除き新組合の組合員でなければならない旨の協約が成立したので、この協約に基き新組合に加入しない原告に対して本件解雇の意思表示をしたことが認められる。

そして労働協約によつて従業員は組合の組合員でなければならないと定めた場合には、別段の協定のない限りいわゆるユニオンショップ約款と解すべきである。

ところでユニオンショップ協定が協定締結当時既に従業員たる地位を有する労働者にも及ぶかどうかについては問題であるけれども、少くともいづれの組合にも属しないいわゆる未組織労働者である場合には、これを積極に解するのが相当であるので本件解雇は、右の意味において一応有効のものといわなければならない」（東邦亜鉛解雇事件、東京地判昭三一・五・九労民集七・三・四六二。ただし本件の場合は特別の事情があり解雇無効、後出【13】）。

以上のように、具体的なユニオン・ショップ条項がどのような効力をもつかは、それを定めた協定の趣旨による。そうすれば、脱退・除名即解雇となりうるような文言の規定形式をとる場合には、改めて解雇の意思表示をする必要はないであろう。だが判例では、この点はまだ、あまり争われていない。第一にそのような規定をかちとつていた場合はすくないと思われるし、また判例のほとんどは協定にもとづいて解雇された労働者が救済を求めた事件であり、組合がショップ条項の効果を主張したものでないからである。脱退・除名によりその者が当然に従業員たる身分を喪失するという主張が当事者からなされたのは、会社にたいし、組合脱退者がその従業員たる身分を有しないことの確認を求めた、つぎの一例があるだけである。

【11】「原告は前記労働協約第四条の規定の趣旨は被告会社従業員が原告組合に加入しないとき原告組合に属する個々の従業員が組合を脱退し又は除名されたときは何らの意思表示を要せず当然に被告会社の従業員たる身分を喪失するにある旨主張するからこの点につき考えるに、右条項において『組合を脱退し……た者は当然に従業員たる身分を失う』『組合を脱退し……た者は当然に解雇されたものとする』という表現をないで『会社は……組合を脱退し……た者はこれを解雇する』という表現の仕方をしていること、及び労働協約は協約当事者双方の合意に基き原則としてそれに沿う効果を生ずる法律行為であるという意味において一種の契約に属するというべきであるのに、原告主張の協約解釈によれば契約当事者たる原告及び被告の間だけでなく第三者である原告組合所属の個々の組合員に対し身分喪失の効果を発生せしめる結果となり、契約法の一般理論に従いその条項は無効となるに至るところ、（右条項は労働組合法第十六条にいわゆる『労働条件その他の労働者の待遇に関する基準』に該当するとは解し難いので同条の規定に基き右条項の効力が個々の組合員に及ぶということは有り得ない）およそ契約条項はなるべく有効になるように解釈すべきであるという原則からみて、右協約条項は原告主張のような趣旨ではなく、従前組合員であつた従業員又は組合員たるべき従業員が脱退又は除名により組合員でなくなり又は組合員となることを拒んだときは、被告は労働基準法に定める手続に従いこれら従業員を解雇すべき債務を原告に対し負担するに至り原告は被告に対しその履行を求め得るという、原被告間の債権関係を設定する趣旨（いわゆる債務的効力）であると認むべきである」（中国電力事件、広島地判昭三〇・七・三〇労民集六・五・五四九、後出【31】）。

右事件において、条項そのものの表現からくる判断の結論はともかくとして、会社・組合間の契約はによつて第三者（脱退組合員）に身分喪失の効果を発生せしめるのは、契約法の一般理論によつて無効と考うべきだとする点には、考えておくべき問題がある。ユニオン・ショップ条項の結果身分喪失の効果を受ける脱退者は、まさにその協定当事者たる組合の構成員として団結忠誠を誓つたはずの組合員であつて、他の何人でもない。だから脱退組合員を単純な第三者とみることは当らないし、また身分喪失に至る効果はもともとユニオン・ショップ条項の本来の目的とするところである。組合の決定には組合員は拘束される。だから、組合員の総意を媒介としてできた組合案によつて、組合員個々に効果の及ぶような趣旨の協定をつくつた場合、その効果が組合員に及んだからといつて何の不思議もない。組合の決定が協約に転化した場合に、組合員は拘束されないという理由は理解しがたいと思われる（詳細は、早大大学院労働法ゼミナール（籾井執筆）「ユニオン・ショップと解雇――中国電力事件判例研究」季労【18】参照）。また現実の作用としても、ショップ条項がいわゆる債務的効力をもつにとどまるかぎり、組合からの除名（脱退）者にたいして使用者が解雇の意思表示をするという行為を媒介としなければ、その終局の目的は達せられない。そこで使用者は事実上解雇するか否かの自由を持つのであつて、たとえば近江絹糸の諸事件（彦根工場事件、大津地判昭二九・一・三〇労民集五・一・一、津工場事件、三重地労昭二九・一〇・一三救編五〇〇ノ一八）におけるように、御用組合からの除名であれば即刻ユニオン・ショップ条項により解雇する。しかし、前出【11】の中国電力事件のように、これを放置するのが有利な場合であれば脱退者でも解雇しないし、また組合の統制に違反して除名されても、会社側の対組合政策に協力した者にたいしては、たとえば三井美唄江の島教育事件（札幌地岩見沢支判昭二八・一・三一労民集四・二・七一）にみるように、決して積極的に解雇しない。こうした経験からみて、脱退・除名即解雇となるような趣旨の条項を組合側が求めるようになることには、理由があるようにも考えられる。ただ現実には明瞭にこのように協定した文言は見かけないし、かりに除名即解雇の効力を生ぜしめる場合に基準法上の解雇予告との関係をどう考えるか問題がのこる。

また逆に、ユニオン・ショップ協定により従業員は当然に組合員となるかということに関しては、つぎのようにきわめて特殊な事件で争われた例がある。すなわち、申請人らはユニオン・ショップ条項及び解雇同意約款を含む協約締結当時シベリヤに抑留中であつたが、一年半ばかりのちの帰還の日と相前後して、会社から解雇された。そこで申請人らは「会社の従業員は左の者を除いては組合員とならなければならない」という協約の規定により当然に組合員となつており、この解雇は協約違反で無効だと主張したが、裁判所はつぎのようにこれをしりぞけたのである。

【12】「労働協約によれば同会社の従業員たる者は当然に組合員とならなければならない旨定められているから、控訴人両名は右組合結成の当時未だ帰還していなかつたが同会社の従業員であつた以上、当然に右組合の組合員となつたものであり、而して更に右労働協約によれば組合員たる従業員の解雇は、予め組合の同意を得ることなしには行わない旨規定せられているから、組合の同意なくして組合員たる控訴人等を解雇したのは右協約に違反して無効であると主張する。しかしながら労働協約に従業員たる者は当然に組合員とならなければならない旨の条項のある場合と雖も、それは組合と使用者たる会社との間において協約上の効力あるに止り、当然に組合員たらざる個々の従業員をして組合員たらしめる効力を有するものではない。尤も右の条項は組合の統制力を強化せんとするものであり、該条項の存する場合組合に加入しない従業員は解雇される危険に曝されるが、しかし個々の従業員はなお組合に加入し又は加入せざるの自由を有し、その意思に

よらずして右条項により当然に組合員となるものではない。従つて斯る条項の存在により控訴人等が当然に右組合の組合員となつたものとは解し難い」（三菱化工機控訴事件、東京高判昭二九・一二・一三労民集一・六・一〇三〇）。

三　ユニオン・ショップ協定の効力の及ぶ範囲

一　一般の場合

組合から脱退し、あるいは除名された者、あらたに雇傭されて組合に加入しない者については、問題がない。やや問題となるのは、従来学説において、未組織であつても協定成立当時すでに雇用されている労働者には、効力が及ばないとする少数説のあつた点である（石井「労働法」一〇九頁。ただし教授も「団結権」（学会編労働法講座第二巻二二八頁）において、「協定成立後合理的な期間」を経過してもその労働者が依然として未組織労働者として止まるときには、使用者は解雇を義務づけられるものと改められた）。わたくしは、この点は、後でのべる組合併存の場合をのぞいては、このような未組織労働者にも適用になるものという多数説に従つていいと考える。この場合の未組織労働者は、自己の判断にもとづいて組織加入の機会をもつだろうから、このような機会をあたえつつ組織加入の強制を行うことは、団結権保障を目的とするユニオン・ショップ条項の本来の機能だと考えるからである。従つてまた、例外的に、組合が正当な理由なしに加入を拒否している場合にのみ、その効力は及ばないとみるべきであろう。判例も事例はすくないが、明確にこの立場に立つ。そして、その加入拒否の正当な理由なしとした判断も妥当であろう。

【13】（事実）「争議解決後は新組合による旧組合の切崩しが行われ、旧組合は、遂に昭和三十年一月二十日解散のやむなきに至つた。この解散に際し、新組合と旧組合との間に、原告外五名の旧組合執行委員を除

くその余の旧組合員は直ちに新組合に加入し、原告等旧組合執行委員は、一時新組合の外にあつて清算委員会を構成して旧組合の残余財産の処分ないし債権債務の処理に当るという諒解が成立した。そして、旧組合は、前記争議中旧組合員の生活資金として合化労連より数百万円を借用してこれを旧組合員に貸付けていたのであるが、原告等清算委員は、右貸金の取立等に当つていた。このような状態において、新組合は、昭和三十年一月二十一日ユニオン・ショップ協定が締結されたにつきまだ新組合に加入していない労働協約上の資格者は同月三十一日午後一時までに新組合に加入の手続をとるように一般に告知した。そこで原告は、所定期日である三十一日午前中に新組合の規約綱領運動方針に賛同して加入する旨の他の一般組合員が用いたと同様の様式の加入届を新組合に提出して加入の申込をしたのであるが、他の一般組合員は、右と同様な加入届の提出によつて直ちに加入を認められまた新組合の規約には、新組合の規約綱領運動方針に賛成して加入を申込んだ者を拒むことができない旨の定があり、且つ原告は、新組合と被告会社間の労働協約上組合加入の資格を有する者であるのに拘らず新組合は、原告に対し、右加入届の外に清算委員会の決定に全面的に協力する旨の誓約書の提出を要求し、原告がこれを拒否したため、加入を認められない状態にあつたこと及び清算委員会とは、前記合化労連より旧組合を通じて争議中生活資金を借受けた旧組合員であつて当時新組合に加入している者の代表者が構成した団体に過ぎないもので新組合の機関ではなく、またその決定とは、右借用金の返済について利息の免除を主張する方針であることが認められる」。会社はユニオン・ショップ協定に基き原告を解雇した。

（判旨）「ユニオンショップ協定が協約締結当時既に従業員たる地位を有する労働者にも及ぶかどうかについては問題であるけれども、少くともいづれの組合にも属しないいわゆる未組織労働者である場合には、これを積極に解するのが相当であるので本件解雇は、右の意味において一応有効のものといわなければならない。

しかしながら、使用者がユニオンショップ協定に基いて組合に加入しない労働者を解雇することによつて組合加入に協力することが不当労働行為を構成しないとされた所以のものは、個々の労働者の雇傭契約上の権利を犠牲にしても、組合の団結権を擁護しようという労組法の精神に基くものであるから、右協定に基く解雇が有効とされるのは、団結権の擁護のためになされたことを要するものというべきであり、従つてユニオンショップ協定による解雇と雖も実質上団結権の擁護に何らの関係を有しない解雇は、単にユニオンショップ協定に名を藉りるものであつて労組法の精神に反し、解雇権の濫用として許されないものと解するのが相当である。ところで労働者が組合の定める手続に従つて加入の申込をしたのにかかわらず、組合が正当の理由なくその申込を拒否し加入を承認しない場合には、その限度において組合自らユニオンショップ協定によつて担保される団結権を放棄していると見る外はないのであるから、この場合にも組合の団結権の擁護のために組合に加入しない労働者をユニオンショップ協定による解雇として有効なりとするは、それ自体悖理であり、法が認めたユニオンショップ協定による解雇の目的の範囲を逸脱しているというべきであつて、かかる解雇は法律の要求する正当性を欠き権利の濫用として許されないものと解すべきである」。

「而して労働組合は、自主的団体であるから組合が労働者につき組合の存立を否定する言動をなす等の理由により団結権又は団体秩序の維持に有害であり、または有害と認めるについて正当の事由を有するときはこれら労働者の加入を拒否することは是認さるべきであるが、かかる特段の事情について主張立証のない本件においては、前認定のような事情によつてなされた原告に対する新組合の加入拒否は、団結権又は団体秩序維持の目的と無関係であつて不当なものというべきである。既に原告に対する新組合の加入拒否が不当である限り、前説示したところにより、ユニオンショップ協定による本件解雇の意思表示は、権利の濫用として無効と解する外なく、従つて原告と被告会社との間には、原告主張の雇傭契約が存在するものと断定せざるを得ない」（東邦亜鉛解雇事件、東京地判昭三一・五・九労民集七・三・四六二）。

【14】「安井（――被解雇者・申立人）は労働組合に再三入会を申入れて居るが拒否されて居る。而して其の労働組合の規約は五月の改正迄は全従業員を以て組織することになつて居る。斯かる場合における組合の除名乃至は加入拒否は安井の行為が組合の規律統制を紊すことの顕著であると謂う正当理由がなければならない。

土川（――組合長）等の弁明に徴するに藤田の労働組合としては外部組合との交渉を持たないことを定めたことを理由としているが、安井が単に外部組合の指導を受くるの事由を以て入会拒否の正当な事由とは解し難い。

従つて経営者がユニオン・ショップ制を組合と協定せる場合の趣旨に基いて労組法第七条第一号但書の精神に依り解雇したとするの弁明は此の場合組合の加入拒否に第七条第一号但書を適用するに必要なる正当なる事由を欠くものであつて、成立するものと認め難い」。解雇を不当労働行為として救済。ただし本件では、ユニオン・ショップ協定の存在は認定されていない（藤田製作所事件、愛知地労昭二六・七・二一救編一五二）。

二　組合が分裂した場合

それでは、組合脱退・除名者には問題なく条項の効力が及ぶということは、組合が分裂し第二組合が生じた場合に、同じように制限なく適用になるだろうか。単純な脱退・除名でも分裂の場合でも同じに考える説は、まずほとんどないといつていい。判例の傾向も、漸次一つの方向をとつているのではないかと考える。

【15】（事実）会社と申請人組合との間の労働協約には(A)「会社は他のどんな労働組合をも認めず、しかも会社の従業員は、原則として申請人の組合員でなければならない、又申請人組合から除名されたものは従業員であることができない」との趣旨の条項が約されていた。組合が争議にはいつていたところ、組合員総

数六十数名のうち、組合を脱退した再建派のものが三十一名に達し、その指導的分子として先に組合から除名された者五名を含むこれらのものがいわゆる第二組合を結成し、会社に工場作業の再開を求めた（うち四名はのちに申請人組合に復帰）。会社はこれに応じて工場を再開し、四十数名の従業員（そのうち申請人組合脱退者約二十五名、新規採用者二十数名）により作業を営んでいる。組合は協約違反等を理由に、その所属組合員以外の従業員によつて工場作業を開始することの禁止、その他の仮処分を申請した。

（判旨）却下。「被申請人が……申請人の組合員でない組合脱退者や新規採用者を従業員として就業させていることは、一応前記(A)項……に掲げた労働協約の規定に違反するように見える」。「然し、思うに、申請人のように、一企業内の従業員で組織された労働組合が、その企業主と締結した労働協約の前記(A)項の如き約款は、これによつて組合の分裂を防止しその団結を強固にせんことを主たる目的として定められたもので、それは組合の結束が維持され一応の統一を保つていることを前提としているものと解すべきである。ところが申請人の場合前記のように当時六十数名の組合員中、従来の組合の行き過ぎを不満として脱退した者が三十一名（後に申請人組合に復帰した四名を除いても二十七名）に及んで、これらがいわゆる第二組合を組織するに至つているのであつて、このように申請人組合内部に分裂を生じ、多数組合員が集団的に脱退したが為に、右約項の目的とする統一的基盤が失われてしまつたような非常事態においては、もはやこの種約款の効力が及ばないものと解するのを相当と考える」（愛光堂印刷事件、東京地決昭二四・六・四労民資六・一七九）。

【16】（事実）争議中、組合員総数四百数十名のうち八十三名が組合から脱退し、新組合を結成した。会社は新組合員により操業を開始したところ、第一組合のピケにより工場への通行を阻止されたので、その妨害禁止等の仮処分を申請した。これにたいし第一組合は、会社の操業は協約違反の不法操業であり、これを阻止するのは正当だと主張した。しかし判決は、ユニオン・ショップ条項違反の主張を、つぎのように却けた。

（判旨）「申請人会社と被申請人組合との間の労働協約第四条に『従業員は組合員でなければならない。組合員である従業員が組合から除名された場合は解雇しなければならない。』との規定がある……この規定によれば被申請人組合の組合員である従業員が組合から脱退して組合員でなくなれば会社はこの脱退者を解雇しなければならないものと解せられ、脱退者を解雇しないで就業させることは右労働協約に違反するように見える。然して事業所内の従業員で組織された労働組合がその使用人と締結した前記の如き約款はこれによつて組合の分裂を防止しその団結を強固にせんことを主たる目的として定められたものでそれは組合の結束が維持され一応の統一を保つていることを前提としているものと解すべきである。ところが当時四百数十名の組合員中八十三名が被申請人組合執行部の指導を不満として脱退し新組合を結成するに至つているのであり而して……組合脱退者は昭和二十八年五月に行われた同盟罷業以来被申請人組合の方針が闘争第一主義であり同組合の運営方法が非民主的であるとして執行部に反対し且つ組合が合成化学産業労働組合連合会を脱退し東邦亜鉛株式会社労働組合連合会に復帰することを希望して脱退したものであることが認められる。而して……昭和二十八年五月申請人会社と被申請人組合を含む申請人会社の各事業所を単位とする単位組合の連合体である東邦亜鉛株式会社労働組合連合会との間に賃金のベースアップにつき紛争が生じ短期間の同盟罷業をなした結果同年六月十二日両者間に賃銀協定が成立したのであるがその後被申請人組合執行部は他の単位組合とは別個に更に賃上要求の方針を定め、同年八月十七日の組合大会に基準外賃銀の支給、前記組合連合会脱退合成化学産業労働組合連合会加盟その他の議題を付議し、且つ右諸要求につきそれまで会社に対し要求及び団体交渉を為したことがないのに拘らず一挙に同盟罷業の指令を随時発し得る権限を組合執行部に与える件を緊急上程して可決されたこと、この決議方法として無記名投票によつたにも拘らず投票の秘密性を確保する為に充分な施設が設けられておらなかつたこと、九月四日午後一時から開始すべき同盟罷業の指令を同日午前十時から開始すべきよう解される指令を出したこと、十月三日既に新組合が結成され同組合の組合員が同盟罷業に反対して就業する意志であることが判明していたにも拘らず被申請人組合は十月十二日無期限の罷業に突入したこと及び右突入に際し被申請人組合は工場のベルト機械の部分品等を取り外して隠匿したことが認められる。右認定の事実と前記脱退の理由とを比照すれば組合脱退者（新組合の組合員）が脱退の理由とした事実に照応する事実が存在したことを窺うに足りるからその集団的脱退及び新組合の結成は被申請人組合の団結権を侵害することを目的としたものではなく専ら自己の理想とする労働組合の結成を目的としたものであること明かでかかる新組合の結成は法の保護を受くるに値するものといわねばならない。しからば、このようにして多数の組合員が集団的に脱退したために前記条項の目的とする組合の統一的基盤が失われてしまつたような特別の事情においては、も早前記協約条項の効力は及ばないものと解するのが相当である」（東邦亜鉛スト事件、前橋地判昭二八・一二・四労民集四・六・五二一）。

【17】（事実）　申請人ら二名は反組合的行動の理由で組合から除名されたが、外七名の組合員と共に脱退届を提出した上、右九名で第二組合を結成しその拡大強化に努めた。当時第一組合の組合員数は約七百名であり、特にその内部に対立抗争があつたわけでなく、申請人らの第二組合結成の目的は、主として従前の組合を分裂させることによつてユニオン・ショップ条項（前出【9】参照）を含む労働協約の失効を企図したものであつた。会社は組合の要求により遂に申請人らを解雇した。

（判旨）　地位保全の仮処分申請を却下。「申請人らは先ずユニオン・ショップ条項は締約当事者たる組合と会社との間には効力があるが、組合外の第三者と会社との間には効力がない。すなわち申請人らは参加人組合から除名されて組合外の第三者になつたのであるから、その第三者たる申請人らと被申請人会社との間にあつては右条項は何等その効力がない。従つて被申請人会社が右条項に基いて申請人らに対してなした本件解雇は無効であると主張する。しかしながら申請人らは前示のとおり参加人組合と被申請人会社とがユニオン・ショップ条項を含む労働協約を締結した昭和三十年三月十六日当時参加人組合所属の組合員であつたのであるから、このような組合員が組合から除名され又は自ら組合を脱退して組合員たる身分を失つた場合には後記のとおり特別の事情のない限りユニオン・ショップ協定の効力は当然その者に及ぶと解すべきであるから、申請人らの右主張は理由がない」。

「(尤も申請人らは前示のとおり外七名の組合員と共に第二組合結成の目的で参加人組合を脱退し『茨城交通従業員組合』なる第二組合を結成したのであるが、このような場合労働協約上のユニオン・ショップ条項がこれら脱退者に及ぶかどうかについては場合により問題があるけれども少くとも本件のように当時特に参加人組合内に対立抗争があつたわけでもなく、ただユニオン・ショップ条項を含む労働協約の失効を企図して第二組合を結成したもので、しかもその組合員数は従前の組合のそれが約七百名であるのに対し僅かに九名に過ぎず(この事実は当事者間に争がない)到底これを組合の集団的分裂と称すべき事態に至つたものとも見られない場合には、これを積極に解するのが相当である。)

そうすれば申請人らの主張する如く仮に除名が無効であつたとしても、申請人らは自らの意思に基いて参加人組合を脱退しその組合員でなくなつた以上被申請人会社は参加人組合の要求に基き右条項に従い申請人らを解雇したのは結局有効であるといわなければならない」(茨城交通事件、水戸地判昭三一・九・一四労民集八・五・五六二)。

【18】「尚、電産が分裂して新たに電労が結成された際、当時電産と被申請人会社との間にユニオン・ショップ条項があつたにも拘らず、会社がそれら電産からの脱退者を解雇しなかつたことは当事者間に争がないところ、申請人らは、右の場合において電産のショップ条項を適用せずして、本件の場合に西田ら三名に電労のショップ条項を適用することは、西田ら三名及び電産を不当に差別待遇するものである旨主張するけれども、前者が所謂分裂と称すべき事態であつて労働法上明かにショップ条項を適用することの許されない場合であるに反し、後者は全く純然たる個別的脱退の場合なのであるから、それに対してショップ条項の適用があることは明白であり、二者を同日に論ずることは到底できない」(四国電力事件、高松地判昭三〇・三・一四労民集六・二・一二九、後出【20】)。

すなわち、【15】は「組合内部に分裂を生じ、多数組合員が集団的に脱退したが為に、右約款の目的とする統一的基盤が失われてしまつたような非常事態」であり、その場合には、もはや従来のユニオン・ショップ約款の効力は及ばないとした。そして、この態度はそのまま【16】でうけつがれ、また【17】【18】でも同じような考え方が前提にされているといつてよいだろう。しかし、そうだとすれば、どの程度の分裂があれば「統一的基盤を失つた」という考え方になつてくるのかという問題が存在する。愛光堂の場合は六十数名中二七名が第二組合をつくつており、東邦亜鉛の場合は四百数十名のうち八三名が脱退して新組合をつくつている。愛光堂の場合はともかく、東邦亜鉛の場合はまだまだ五分の四程度の力を握つているので、これですでに統一的基盤を失つたと評価してしまつていいかどうか問題がある。同事件について、この点疑問を投げる批評がでてくることともなるのである（宮島尚史「ピケッティングの正当性と妨害排除―東邦亜鉛事件判例研究」季労【12】）。しかし、ともかくもこの点は、判決は自らの認定の問題として、その基準をしめすことには余り熱意をみせていない。また【17】が集団的分裂の場合とみず、ショップ条項の効力を是認したことは、恐らくどこの裁判所でも異論がないだろう。だがそのほか例がすくなく、この点はつきりしたものは、まだつかめないようである。ただわたくしは、保障されるに値する団結体がつくられているかどうかに中心をおき、もともと分裂した者が、ユニオン・ショップ条項を含む協約の適用の下にあつた者であることを考慮して、事情の変更と考えうるかどうかを定めなければならないと考えている。従つて、ユニオン・ショップ条項の適用が否認される基準は厳格となるのである。

三　組合が併存している場合

（一）　一つの組合とユニオン・ショップ協定を結んだ場合

ユニオン・ショップ条項の目的は、

反組合的従業員↓解雇という道程で組合の組織的統制力を強めつつ、使用者にたいする強い交渉力をもとうというところにあるのだが、条項の性質上、対使用者関係における組合の力の強化ということは、その背後にかくれているいわば条項の運用上の問題になつてくる。これにたいして、組合の組合員ないし従業員にたいする統制力ということばかりが、直接条項上にあらわれてくる。そこで、ともすれば組合統制力の作用と、裏面にかくれている本来のユニオン・ショップ制の目的との間に間隙が生ずる可能性がないとはいわれない。そのような間隙を埋める仕事は、組合運動の力でなければならない。組合運動における団結力が低下すると、ショップ条項の履行を確保しえないというだけではなく、この間隙は使用者の対組合政策の作用しうる舞台となる。御用組合からの除名を理由とする解雇などの例もあるが、もつとひどい場合は、二つの組合間の組織闘争を刺戟し、使用者にとつて好ましくない組合を除々に排除していく手段として、ショップ条項を利用する場合も出てくるのである。そうなつた場合、あるいはそのような条件が存在する場合、ただ組合は自らの団結力を強化せよというだけでは足りないのであつて、組合自らの団結力を、すくなくとも外から破壊させないだけの配慮は、団結権の保障の考え方に立つ以上、法律の任務でなければならないだろう。ここにユニオン・ショップと不当労働行為のつながりが注意されなければならないことになるが（後出五参照）、ことがらを不当労働行為の面で考えるばかりではなく、ユニオン・ショップ条項のもつ効力の問題としても、団結権保障という本来の趣旨から考えて、正しい適用と効力の範囲とを確定してくることが必要ではないだろうか。二つの組合の併存する場合、ショップ条項の効力の及ぶ範囲は、このような意味において問題となるところである。

まず、組合が分裂して第二組合が誕生し、その第二組合がユニオン・ショップ協定を結んだという場合に、第二組合に加入しないからといつて、そのショップ条項は第一組合員に効力を及ぼすであろうか。もちろん、第二組合と会社との間の協定締結については、不当労働行為の立証はないとする。この問題を最初に提起したのは、加藤製作所千葉工場事件であつた。裁判所は、つぎのようにその効力を否定した。

【19】（事実）会社は第二組合とユニオン・ショップ協定を締結し（申請人の主張によれば、会社全従業員一八七名中、第一組合員は三八名、第二組合員は一四九名）、第二組合への加入を求めたがこれに応じないとして、第一組合員全員を解雇した。その地位保全等仮処分申請事件である。

（判旨）「被申請会社は右解雇は労組法第七条一号但書の規定に基いて有効であると主張するので、この点について按ずると、元来民主主義というものは反対派の主張を自己の主張と同様に尊重することを必須な要件とするものであり、従つて少数派の存在を自己の存在と同様に尊重しなければならぬものであつて、この原則は労組法の上位にある法である。いま四分の三以上の多数の組合員を擁する組合員（？）と会社との間に成立した協約に基いて会社はその協約成立前からある他の組合の組合員に新組合への加入を求め之に応じないとして解雇することが許されるとするとそれは第一組合の存在と主張とをなくし多数派のみの存在と主張とを許すものであつて、多数派の専横を来すに過ぎず、前記の民主主義の本質と相容れない。従つて他に憲法第二十八条の規定とも思ひ合せると労組法第七条一号但書は被申請人主張の如き内容を持つていないと解するの外はないのである。

然らば被申請人のなした解雇はその根拠を欠くものと云わなければならない」（加藤製作所千葉工場事件、千葉地決昭二五・八・八労旬30）。

この決定の理由にはかなりの批判もあつたが、大まかにいつて、結論としては、少数派組合でもその団結権は保障されねばならないという考え方は、学説において多くの支持があるように考える。わたくしもまた、この考え方に賛する。ユニオン・ショップ条項の有効な理由は、他の団結を圧迫する手段として保護されるという点にあるのではなくて、まさに団結権の保障という点にあるからである。そして、ショップ条項の効力が他の組合の組合員に及ばないということは、判例においても数はすくないが（むしろ争いえない通説だからとも考えられる。あえて問題がおこるときは、不当労働行為事件が多い）、固まつているところだと思われる。元山運輸事件（山口地決昭二九・四・一三労民集五・五・四七五）は、理由を附さないが、全港湾労組関門支部の申請を容れ、その所属組合員を、会社が全日本海員組合と結んだ協約のショップ条項を理由に解雇してはならない旨の仮処分命令を下している（労働委員会での後出【28】を参照）。また、四国電力事件も、

【20】「電産が曽つて被申請人会社の従業員の所属する唯一の労働組合であつたところ、その後分裂により新たに電労が結成されたため、被申請人会社の内において両組合が併存するに至つたことは当事者間に争のないところである。そして、本件においては、電労が被申請人会社と労働協約を締結し所謂ユニオン・ショップ条項を約定したわけであるが、その場合におけるショップ条項の効力が如何なる種類、範囲の者にまで及ぶかということは、極めて難しい問題である。そもそも、右ショップ条項締結の趣旨は締結組合の組織を強化し、その強大なる集団的統制力の下に対使用者との関係において組合の事実上の発言力を増大した上、労使関係における組合の優位を相対的に確保しようとするものであるから、その締結は一般的にいつて労働者にとつて甚だ有利であり、稗益するところが大であることは論をまたない。従つて、当該事業場に組合が一つしか存しない場合においてショップ条項が締結されたときは、その組合に加入していない所謂未組織労働者

に対してもその効力が及び、それらの者は相当期間内にその組合に加入しない限り解雇をうけてもやむを得ないものといわなければならない。蓋しそれら未組織労働者が右条項の適用をうけて蒙る不利益はたかだか団結しない自由を侵害されるに止まるのであつて、現在のような資本主義社会の下において、労働者に対し団結しない自由を認めそれを尊重しなければならない必要は存しないからである。殊に、労働組合法第七条第一号但書においては、労働組合が特定の工場事業場に雇用される労働者の過半数を代表する場合において、その労働者がその労働組合の組合員であることを雇用条件とする労働協約を締結することを妨げない。』旨を規定し、所謂クローズド・ショップ条項乃至ユニオン・ショップ条項の有効性を確認している以上、少なくとも従業員の過半数が組合員となつている組合がショップ条項を締結した場合においては、組合員以外の未組織労働者たる従業員に対してもその効力が及び、組合に対する加入強制をうけるべきことは格別疑問の余地がない。これに反して、締約組合以外に他の組合が同一事業場内に併存しているときは、その条項の効力は他の組合に加入している従業員に対しては及ばないものと解するを相当とする。蓋し、憲法第二八条においては、『勤労者の団結する権利及び団体交渉その他の団体行動をする権利は、これを保障する。』旨を規定して所謂勤労者の団結権、団体交渉権などの保障を宣言し、それを承けた労働組合法の諸規定が種々該権利の保護、育成に留意している以上、一組合がショップ条項を締結したとしても、既に他の労働者においてそれぞれその団結権を行使して組合を結成しているときは、その条項を楯としてその団結を阻害することが許されないものといわなければならないからである。その場合、締約組合が仮に当該事業場の従業員の過半数を代表するものであつたとしても何ら相違するものではなく、矢張り、他の組合の組合員は、既に何人においても保障しなければならない団結をなしている反射的効果として、そのショップ条項の効力をうけず、締約組合えの加入を強制されることにはならないといわなければならない」（四国電力事件、高松地判昭三〇・三・一四労民集六・二・一二九・）

としたのである。

ところで、組合併存の場合の問題は、ショップ条項の効力が、他組合の組合員には及ばないという点につきるものではない。すなわち、従来東邦亜鉛解雇事件(前出13)のように、分裂後第二組合とのショップ協定による解雇ということがなくても、第一組合員が逐次減少し、ついに解散のやむなきに至るという経過がみられていた。しかし、もし第一組合が、なお団結力を維持し組織闘争をつづける場合には、相互の組合員の獲得をめぐつて、あらたな問題が生じてくるであろう。あらたに雇傭された労働者、あるいは第二組合を脱退して第一組合に加入する者にたいして、第二組合のショップ協定の効力は及ぶかどうかという点である。そして右【20】は、実はこうした問題にとりくんだものであつた。

すなわち、同事件の事実によると、電産四国地方本部傘下に組合分裂がおこり、四国電力株式会社従業員である組合員の一部によつて、昭和二八年八月一三日に四国電力労働組合(電労)が結成された。当時電産の協約にはユニオン・ショップ協定があつたが、脱退者の解雇はなかつた。その後二九年四月一日電労と会社との間にはユニオン・ショップ協定が結ばれ、従業員であつて組合に加入しない者、脱退した者及び除名された者は解雇する旨の定めがなされた。この当時における両組合の現勢は、電労約五、九五〇名にたいし電産(四国)約一五〇名であつた。ところが二九年八月一四日に、分裂当時電産を脱退して電労組合員となつた一三名が電労脱退声明書を発表し、同時に電産にたいしては脱退届の撤回届を提出した。そしてうち一〇名は電労の説得により再度翻意したが、三名はついに電産の組合員になつてしまつた。そこで会社はユニオン・ショップ協定に従つて、八月二四日これを解雇した。これにたいして三名は地位保全の仮処分を申請し、その理由の一つとして、電労から脱退して電産に加入した申請人らにたいしては、会社と電労との間のショップ条項はその効力を及ぼすことができない旨を主張したのである。判決は、先に引用した部分につづいてつぎのように判断している。

「そこで本件において、締約組合である電労を脱退し他の組合である電産に加入した西田ら三名に対し電労のショップ条項が及ぶか否かの点を考えるのに……電労は被申請人会社内における従業員の過半数を代表する組合であつて、被申請人会社と締結したショップ条項は電産の組合員以外の全従業員に対してその効力を及ぼすべきことは前記説明によつて明かである。従つて、西田ら三名も当然その適用をうけるものであつて、同人らがその所属組合である電労から脱退するときは、その条項により解雇されることは勿論であり、脱退と同時に電産に加入したとしてもその点に関する限り何ら影響をうけるものではない。蓋し、電産の組合員がその条項の適用をうけない所以は、偶々その締結当時既に同人らが憲法及び労働組合法により他の何人からも侵害することの許されない団結をしていたことによる反射的効果であつて、電産という名のいわば一定範囲内の治外法権的城郭に在住していたことによるものではないからである。換言すると、電産の支配する領域内にはショップ条項の効力が及ばないというわけではなく、条項締結当時既に完成されていた団結という既成事実に対してその効力が及ばないというに過ぎない。従つて、その締結後において、被申請人会社に雇傭された従業員が電労に加入せずして電産に加入し、その支配下に吸収された場合は勿論、本件における西田ら三名のように、曽つて電産の組合員であつた者が再び電産の支配下に復帰する場合においても、それぞれいずれも条項締結当時電産の組合員ではなかつた意味において、等しくショップ条項の効力をうけて解雇されるに至るものと解するを相当とする。この見地にたてば、電産は、その組合員の死亡、退職によつて早晩その事業場から排除されるのやむなきに至るわけであるが、本来、ショップ条項締結の趣旨が一事業場内におけるすべての労働力を単一の労働組合が統制することを最大の目的とするものである以上、右のような事態を生ずることは、条項締結に伴つて当然予期されている必然的な結果であると解せざるを得ない」（【20】と同事件。

なおこの判決が、電産からの脱退者による電労の結成は「所謂分裂と称すべき事態であつて労働法上明かにショップ条項を適用することの許されない場合である」とする点は、前出【18】)。

この判決は、ユニオン・ショップ条項の適用の正当視される理由を、団結権の保障に求めている。またショップ条項締約当時他の組合に加入している従業員にたいしては条項の効力が及ばないとする点では、その効力の限界も、団結権保障の趣旨から考えようとする態度をしめしている。そのかぎり通説的見解に追随したものであるし、従来の判例の考え方を踏襲したものだといつてよいだろう。ところが判決は団結権の保障を考えながら、この事件のあらたに提起した問題については、実は必ずしも団結権の意味を正確に把握していないのではないかと見られる点がすくなくない。すなわち本件では、両組合が組合員獲得のための組織闘争を行つているうちに、一方の組合電労が、使用者とユニオン・ショップ条項を締結することによつて、自己の握つた組合員の電産への移動を防止し、併せて未組織労働者を強制的に自己の側に加入せしめて、電産をば四国電力から長期に亘つて排除する方法に出たわけである。ところが裁判所は団結権保障の名前によつて、このことを結果としても過程としても肯定した。すなわち、団結権の保障が結局他の団結権を圧迫する事態を承認したことになるわけである。これは明らかに団結権の保障を考える立場としては矛盾している。それは判決が団結権を単純に組合に加入している権利としてしか理解せず、団結の行う組織活動の権能や労働者の組織選択権もその内容に存在することを見落したからである。およそ団結は団結をしようとする労働者の側からの動きと、個々の労働者にたいする団結体の側からの働きかけによつて実現している。だから権利としても、その両側面の保障がなければならない。判決はこの点を考える点で失敗した。わたくしは、併存する両組合の組織闘争の中で、よりよく生活を守ると考える組合を選んだ申請人らにたいしては、ユニオン・ショップ条項の効力を認めるべきでなかつたと考える。

つぎに未組織労働者の問題である。未組織労働者が未組織として残るかぎり、組織よりの脱落者と同じく、それは団結の方向に向うのではなくて、団結に背を向けているのであるから、ショップ条項は適用になると考えなければならない。しかし未組織労働者が他の組合に加入するならば、もはや条項の適用は及ばないと考えなければならない。なぜかというと、使用者に対して労働者団体としてその利害のために闘うことを目的としない単純な二つの組合の争いに対して、一方に軍配をあげるような条項の運用は、団結権の保障には関係がない。そして組合の一つの場合は、団結権と就労の自由との問題が存するだけであつたが、組合が併存する場合は、団結権と、就労の自由プラス団結権の問題があらわれるからである。組合が一つしかない場合の原則は、組合が併存する場合には、以上のように修正されていいはずだと考える（詳細は野村「ユニオン・ショップ条項と団結権の保障」（日本労働法の形成過程と理論）二二六頁以下）。

判決は、従来の考え方を機械的に演繹してきているようでありながら、実はあたらしい問題に適切に対応できなかつた。そして、判決をこのような結論に至らせたのは、それまでの通説的見解が、二つの組合の併存する場合におけるユニオン・ショップ条項の効力については、十分に考えていなかつたことにもよるのではなかろうか。その後、この点を問題とした判例はない。しかし、学説においては、さきにのべた考え方が、多数説になつているといつてよいだろう。

なおそのように考えたからといつて、脱退者が直ちに少数組合の結成をやれば、もはやユニオン・ショップ条項は無意味になるというのでないことはいうまでもない。この場合には組合分裂のさいの問題についてのべたように、対使用者関係においてまもるに価する組織であるかどうかを考える必要があろう。全体として団結を弱化させていくかどうかを判断の中心において、既存の団体に対する関係で団結のマイナス面と、あらたなる組合におけるプラス面とを考えあわせて、団結結成の権利の行使の限界を定めていくということである。そして、この点については、脱退者の新組合結成が「組合の集団的分裂と称すべき事態に至つたものとも見られない」として、ショップ条項による第二組合員の解雇を有効とした例がある（前掲【17】）。

（二）　二つの組合とそれぞれユニオン・ショップ協定を結んだ場合　　判例は、つぎのように二つの協定の効力が相殺しあうとして、第二組合との協定にもとづく第一組合員の解雇を無効としている。結果は妥当であるが、第二組合のユニオン・ショップ条項の効力は――これと相殺しあう協定がなくとも――併存組合の組合員である者には及ばないという点から、解決されるべき問題であつたように思う。しかしまた逆にいえば、第一組合もまたショップ条項を結んでいたため、そのような観点は表面にでなくてもすんでいたわけであろう。

【21】（事実）　第一組合の協約（第一協約）にはユニオン・ショップ条項があつたが、のちに自動車部従業員の多数が分裂して第二組合を結成し、この組合も自動車部従業員のユニオン・ショップ条項を協定した（第二協約）。会社は第二組合の要求にもとづき、自動車部従業員でありながら第一組合に加入している申請人らを解雇した。ただし、その加入が第二協約の締結前か否かは、認定事実からは明らかでない。

（判旨）「第一協約のユニオン・ショップの効力と、第二協約のそれとが如何なる関係に立つかを明にしなければ、第二協約のユニオン・ショップ制協約に基ずく本件解雇の適否を確定することができない。そこでこの点について考えてみるのに、労働組合法第七条第一号但書に『特定の工場事業場』と在るのは何も一の工場事業場に限定された趣旨ではなく、特定していさえすれば複数の工場事業場であつても差支えがないと解されるから、従つて第一組合が会社の特定した鉄道部門及び自動車部門を基盤として組織され、それが従業員の過半数を代表するものである限り、会社との間に前記の如き広義のユニオン・ショップ制の協約を締結し得ることは当然であり、又第二組合が会社の特定した自動車部門を基盤として組織され、それが自動車部門に属する従業員の過半数を代表するものである限り、会社との間にユニオン・ショップ制の協約を締結することも亦これを禁ずべき理由はない。然らば自動車部門について、第一協約のユニオン・ショップと第二協約のユニオン・ショップとが如何に作用し合うかが問題になるが、元来第一組合は鉄道部門及び自動車部門を基盤として組織され、第二組合は自動車部門を基盤として組織されたものであるから、前記の如く、それぞれユニオン・ショップ制協約の締結を妨げないとしても、こと自動車部門に関する限り、議論はあるが、二つのユニオン・ショップの効力は矛盾し、衝突し、相殺し合う結果、互にその効力を実動し得ない状態に陥るものと解するのが相当である。さすれば……申請人ら五名が、自動車部門に属する従業員であるとしても、同申請人らが第一組合の組合員である限り、第二協約のユニオン・ショップは同申請人らに対しては実動し得ないと認むべきであるから、従つて申請人ら五名が第二組合に加入しないことの故を以て、同申請人らを解雇することは許されない筋合といわねばならぬ」（島原鉄道事件、長崎地判昭二九・三・二二労民集五・二・一二三）。

なお、つぎの事件は、協定が「効力を実動し得ない状態」ではなく、これを「完全に履行し得ない事態」であるとみている。しかし、ショップ条項の効力に関する判例としては、問題とする必要がないであろう。

【22】「ユニオン・ショップ条項につき第一組合と第二組合とに対し斯かる両立し難い二つの協定を締結した会社として協定成立後これを完全に履行し得ない事態に陥つたのであり、このことは……また事理当然のことであつて会社に対する不明の譏を免れないことは別として、第二組合との協定に際して会社が第一組合の弱体化乃至潰滅を企図するが如き不当労働行為をなすの意思なかりしことは……認められ」、「なお、中立人組合は当委員会に対し前述の各協定並びに申合せ事項の履行を命ぜられたい旨申立てているが、労働協約の有効無効並びにこれが履行不履行の問題は、裁判所に対して請求すべき性質のものであつて、労働委員会の権限外のものと云うべきである……」（平安工業事件、京都地労昭二九・三・一二棄編八九二）。

四　ユニオン・ショップ協定を理由とする解雇の効力

ユニオン・ショップ協定は、団結権の保障にもとづいて適法とされる。したがつて、その協定を理由とする解雇もまた、原則として有効なことというまでもないだろう。判例も例外なく、このことを前提とする。そして問題となる場合には、その解雇が表面上はショップ協定を理由としても、果して実質的にそれにもとづくものであるか否かという点から、解雇の効力を判断しているのである。

ただ学説においては、労働契約に期間の定もなく、また、使用者が解雇の自由を確保している場合はよいが、「ユニオン・ショップ協定の成立当時すでに当該企業に使用されている労働者で協約当事者たる労働組合に所属していなかつたものについては、たとい未組織労働者であつても……従来の解雇基準との関連から解雇が制約されることがあることを注意せねばならぬ」（石井「団結権」学会編労働法講座二巻二三〇頁）ともいわれ、さらには「解雇については、労働契約の性質上原則として労働の履行上の瑕疵についてのみ判断せらるという『正当の事由』説は妥当であると考え得るし、したがつて使用者のユニオン・ショップ条項履行のためだけという理由による解雇は何等労働力売買と関係ないが故に組織未組織を問わず無効であると考えられはしないだろうか」（宮島「ユニオン・ショップの三面構造論序説」労働法【11】四二頁）という異論も存在する。しかし判例では、大部分が被除名者・脱退者の解雇の効力が争われた関係もあつて（未組織労働者の解雇に関するものは前出【13】【14】だけである）、前掲石井教授の説はまだ現実の問題となつていない。かりに問題となつたとしても、ユニオン・ショップの適法性は、契約の自由によるものではなくて、団結権にもとづいて組織強制が是認されているのだと考えれば、それは解雇の「已むを得ざる事由」とされるほかないように思う。

さて、解雇が具体的にユニオン・ショップ協定にもとづいているとするためには、まずそれが具体的なショップ条項の規定の趣旨に含まれているのか（例えば、協定締結前に除名された者もこれに含まれるのかについて前出【8】、そのほか【9】【10】など参照）、条項の効力の及ぶ者であるのか（前出【13】【19】【20】【21】参照）が問題となる。だがさらに、形式上効力の及ぶことに疑いのない被除名者についても、その解雇理由である除名の有効無効が問題となるのであつて、争われた事例も比較して最も多い。そして、判例は当然のことながら、除名が無効の場合には、解雇もまた無効とする。

【23】「労働協約第十一条が、『会社は組合から除名され又は脱退した鉱員を原則として解雇する。但し会社が解雇について考慮を必要と認めたときは組合と協議する。』と規定していることは当事者間に争がなく、右本文にいう『原則として解雇する』とは、『但書の場合を例外としてその他の場合は常に解雇する』意であることは文理解釈上明かであるのみならず、……右協約条項に次いで『諒解事項』として『但し書は解雇によつて会社業務の運営に重大な支障を生ずるおそれあるものに限る』と規定されていることが認められるの

であつて、このことによつてみても、会社がひろく例外的に裁量権乃至裁量の義務を有し、除名についてはその理由や手続についてまで調査判断し、その違法或いは不当と考えられるものについて『解雇について考慮を必要と認め』たものとの裁量の下に例外的に解雇をしないよう組合との協議に持込むことができ、或いは持込まねばならないのだというような解釈は採るべきでない。すなわち、組合から会社に対して除名を証明して通告し解雇を求めたときは、解雇によつて会社業務の運営に重大な支障を生ずるおそれあるものの場合を除きこれを前行手続とした一連の手続として会社は必然的に解雇をしなければならない義務を負うものといわねばならない。

しかしながら、そうだからといつて会社の主張するように、かかる解雇は常に有効であるといえるであろうか。思うに右条項によつて会社が組合に対して負う義務が上述のように手続的な面を有し、その限りにおいては解雇は会社の組合に対する義務の履行として適法であつても、それはあくまでも手続上の義務が履行された意味において適法であるというだけのことであつて、このような解雇がさらに有効であるためには会社が組合に対しユニオン・ショップ条項によつて組合の団結権護持に協力する労働法上の義務を実質的に負うものと認め得る場合でなければならない。換言すれば、ユニオン・ショップ条項は会社と組合との連繋の下に会社の不当労働行為に利用され或いは組合が特定の組合員を不当に排除することに利用されてはならないのであるから、懲戒権の発動として除名がなされる場合、それが団結権護持のため正当に行使されてはじめてユニオン・ショップ条項はその発動の実質的根拠を有するのであつて、会社の組合に対する団結権護持協力義務が実質的に存在するのであり、このような実質を欠いてただ形式的手続的にユニオン・ショップ条項が働く場合には、会社の組合に対する実質的解雇義務は具体的には発生していないものといわねばならない。このような場合における会社の解雇は、形式的手続的な意味において適法な義務履行行為であるにかかわらず、実質的な意味においては義務なき解雇である。ユニオン・ショップ条項に基く解雇は組合に対する義務履行として行われるところにのみ法的根拠をもつ特殊な解雇であるから、このような法的根拠を欠くところには法的効力を認め得ない。その解雇権は組合に対する実質的義務と表裏一体をなしているのであつて、その義務の発生しないところにその権利は発生しない。従つてたとえ手続的に適法であつてもその解雇は無効である。

よつて、本件解雇の効力はその前提たる除名の効力いかんに係るものといわねばならない」。「以上認定のように組合のした除名が無効である以上会社の解雇もまた無効のものといわざるを得ないことは既に前に述べたとおりである」（住友石炭弥生炭鉱事件、札幌地判昭三〇・七・一九労民集六・六・七五七）。

そのほか除名が無効とされたものは、扶桑金属事件（大阪地判昭二四・六・二五労民資六・二一）、倉敷レーヨン事件（岡山地判昭二五・一一・一〇労民集一・六・一〇八四）、平塚工業事件（横浜地小田原支決昭二七・三・二〇労民集三・一・二六）、近江絹糸彦根工場事件（大津地判昭二九・一一・三〇労民集五・一・一）、国際興業事件（東京地決昭三一・八・二二労民集七・四・六六〇）、野上電鉄事件（和歌山地判昭三二・九・一六労民集八・五・五四二）など、すべて解雇も無効とされている。また除名が有効、したがつて解雇も有効とされた例には、井関農機事件（前出【8】）、山形新聞事件（山形地決昭二四・七・一七労民資七・三三五）、平山炭坑事件（福岡地飯塚支判昭二四・一二・一八労民資四・一一七）、小野田セメント事件（岡山地決昭二五・一〇・一三労民集一・追・一三一八、広島高岡山支決昭二八・四・三労民集四・四・二七）、オーエム紡機事件（松江地判昭二五・一・二〇労民集一・一・一〇八、広島高松江支判昭二六・三・二労民集二・一・九一）、東洋紡績事件（山口地決昭二五・九・九労民集一・五・八二七）、新家工業事件（大阪地判昭二五・一二・一四労民集一・六・一〇九四）などがある。そこでユニオン・ショップ協定の実際の効力を知るためには、除名の有効無効がどのような基準によつて決せられるかをみることが必要となつてくる。しかし、除名については本叢書で独立して扱われることになつているので、そちらの箇所を参照していただきたい（本叢書労働法【5】外尾健一）。ただ判例中には、「ユニオン・ショップ協定のある場合には、直ちに被除名者の解雇を意味しその者の生活を根底から動揺させるものであるから、いやしくも除名をしようとするにはその者の行為が著しく反組合的で積極的に組合の秩序を攪乱し、組合の結束を破壊する等組合に対し著しい損害を与えたとか、組合の維持ないし発展に脅威を生ぜしめた事由に基くものでなければ有効な除名といいえない」(前掲野上電鉄事件)というように、ユニオン・ショップ協定の存する場合には、懲罰に関する組合の裁量権をより狭く解する考え方がみられる(東洋陶器事件、前出【2】、前掲倉敷レーヨン事件、三井美唄事件、札幌地岩見沢支判昭二八・一・三一労民集四・一・七一、三井砂川事件、札幌地岩見沢支判昭三二・六・二五労民集八・三・二六五等)。しかし、そのように解するときは、ユニオン・ショップ条項が組合統制権を強化するのでなく、逆に制限を加える機能をもつことになつてしまうのであつて、本末てん倒であることに注意しておこう。除名が被除名者の反組合的悪性の度合いを評価基準とすべきであることや、一般に慎重に扱うべきものであることはいうまでもない。しかし、それとこれとは別問題なのである(山本吉人「除名手続違反と除名の効力—野上電鉄事件判例研究」季労【27】参照)。

なお、訴訟上の問題としては、組合を相手とする除名の効力停止の仮処分は、第三者たる使用者を拘束しない。したがつて、ユニオン・ショップ協定にもとづいて解雇された者が、除名の効力停止の仮処分を得たとしても、使用者は解雇を取り消すとはかぎらない。だから解雇・失業という著しい損害をさけるためには、使用者を相手方として解雇の効力停止の仮処分を求むべきであり、組合を相手方として組合員たる仮の地位を定める仮処分はその必要性がないとする判例がある(名古屋交通局事件、名古屋高判昭二四・七・二三労民資七・三四九、最判昭二六・一・三〇労民集二・三・三九四)。しかし、類似の事実関係でありながら、これに反して、除名の効力停止の仮処分の必要性ありとした最近の例もある(尾張交通事件、名古屋地判昭三二・一〇・三労民集八・五・五五七)。

五　ユニオン・ショップ協定と不当労働行為

ユニオン・ショップ条項の目的は、組合の組織的統制力をつよめつつ、使用者にたいする強い交渉力をもとうとするところにある。だが、さきにのべたように、直接条項上にあらわれてくる組合の組合員ないし従業員に対する統制力の作用と、その裏面にかくれている対使用者関係における組合の力の強化という目的とは、ともすれば間隙を生ずる可能性がないとはいえない。そして、組合運動における団結力が低下すると、この間隙は使用者の対組合政策の作用しうる舞台となる。技術的な意味でユニオン・ショップ条項を利用しつつ、不当労働行為が行われることともなるのである。このような場合、形式上有効なショップ条項、あるいはこれにもとづく解雇等が違法とされることはいうまでもない。これまで判例にあらわれた型としては、除名↓解雇という形を利用するものと、ある組合をきりくずすために他組合とショップ条項を締結するという形がみられている。ただし、不当労働行為についても本叢書中独立に扱われることになつているので、詳細はその部分に譲りたい。

一　被除名者の解雇等

ショップ条項を理由とする解雇等であつても、除名に対して会社が影響を及ぼした場合、その他の事情によつては、不当労働行為となる。この点については旧労調法第四十条違反に関する最高裁の判例以来、つぎのような例がある。

【24】「使用者が労働組合との間に締結した労働協約において、いわゆるクローズド、ショップ制の規定を

設けた場合に組合がその組合員を除名したときは、別段の事情のないかぎり使用者は被除名者を解雇すべき義務あることは所論のとおりである。しかしながら、クローズド、ショップの規約がある場合においても組合から除名された者に対する、使用者の解雇その他の不利益取扱は、すべて労働関係調整法第四〇条に違反しないものと即断することはできない。かゝる場合でも、右クローズド、ショップ制に関する規約の具体的内容、組合と使用者との関係、組合員除名の理由、右の除名が果して組合の自主性においてなされたかどうか、不利益取扱をした使用者側の意図等を十分に審理検討した上不利益取扱が労働者の争議権を不当に侵犯するものであるかどうかを基準として、その不利益取扱が同法第四〇条の違反となるかどうかを決しなければならないのである」。

「原審は、如上各事情についても十分に審理検討を加え殊に……判示職員労働組合の同証人外一三名に対してなした除名は同組合において自主的になしたものでないことを確定した上遂に右クローズド、ショップ制並除名等の事情あるにかゝわらず、本件不利益取扱は同条違反に該当するものであるとの結論に達したものと推認することができる。……その判決に所論のごとき違法ありとすることはできない」(大浜炭鉱上告事件、最判昭二四・四・二三刑資二六・四二五)。

【25】「労働協約中に所謂ユニオン・ショップの条項があり労働組合が自主的に組合員を除名した場合においては、会社は労働協約の条項に基き当該組合員を解雇することを、強制せられるものであるから除名を理由とする解雇については、原則として不当労働行為を以て論ずべき限りではないが、組合員が正当な組合運動を展開するので会社が之を排除するため、該組合員を解雇せんことを意図し、御用組合を動かし、相当な理由なくして該組合員の除名をなさしめた上、ユニオン・ショップ制の条項に基き組合除名を理由として解雇の意図を遂行した場合においては右の組合除名は表面上の解雇理由に過ぎず、右解雇の実質的理由は、正当な組合運動を展開する分子を排除せんとする意図に出でたものであるから、不当労働行為に該当するもの

といわなければならない」。本件において工務部長が、申立人除名に関する組合臨時大会の当日、「係長級約二十名を集め右大会には社員全員が出席し、なるべく皆の発言を封じ、裁決の場合は中岡の除名に賛成といつて皆を煽動せよと指示」した事実その他を合せ考えれば、本件解雇は右の場合に該当し、労組法第七条第一号違反の不当労働行為である（近江絹糸津工場事件、三重地労昭二九・一〇・一三救編五〇〇ノ一八）。

【26】（事実）　申請人らは社長に非行ありとして検察庁に告発をしていたが、会社取締役らとの間に、人事改革その他の三ヵ条を実行する代りに告発を取下げるとの議が承認され、これを取下げた。「ところが、告発が取下げられるや俄然岩堀社長派は申請人等を排撃し始め、申請人等は一部重役と結托して会社乗取りを策していると宣伝し又課長、課長附きを通じて組合に対し申請人四名を除名するよう働きかけたものらしく、遂に二月一日臨時組合総会で、緊急動議により具体的な理由を示されることもなく申請人四名は除名された」。会社は労働協約にユニオン・ショップ条項があるので、右除名並びにその理由に照らし、申請人らを就業規則の「不都合の行為をしたとき」の条項により懲戒解雇した。

（判旨）　組合の除名は無効であり、申請人らに「不都合の行為」がないだけでなく、「本件懲戒解雇は不当労働行為の疑がある。……申請人四名の告発は組合や組合員の名でなされたものでなく従業員としてなされたものであるがそれは組合員の活動としても正当な性質のものであること及び一月十九日の三ヵ条について組合決議の名に於て会社側にその実行を要求した行為も又組合活動として正当なものであることは前述したところより肯認されるのであつて、申請人四名を懲戒解雇した実質的理由は、実に申請人四名のこれらの行為にあるものと判断される。してみれば、本件懲戒解雇は申請人四名が正当な組合活動をしたことがその主たる理由で、而もこれを擬装するため、組合に対し申請人四名の除名を策動して之に介入し、御用組合化した平塚工業労働組合より申請人四名が除名されたのに乗じ、ユニオン・ショップ条項を利用して懲戒解雇したものと認められるからである」。本件懲戒解雇は無効（平塚工業事件、横浜地小田原支決昭二七・三・二〇労民集三・一・二六）。

二　併存組合の一方と結んだユニオン・ショップ協定と不当労働行為

ユニオン・ショップ条項の効力は、併存組合の組合員には及ばないはずである。しかし現実には、時としてある組合とのショップ条項が、使用者にとつて好ましくない他の組合に、打撃と動揺をあたえるために利用される。そして、つぎの【28】【29】のように、そのショップ条項を理由として、他の組合員に解雇予告が発せられあるいは解雇されたりもするのである。だからショップ条項が、併存組合切崩しの手段となる場合には、効力問題が起るだけでなく、その条項の締結自体あるいは解雇予告が不当労働行為とされているのは当然であろう。ことに【27】は、従業員の過半数にみたない第二組合と、ユニオン・ショップ協定を結んだ例である。

【27】「労働者は労働組合団結強制の一手段として、使用者とユニオン・ショップ約款を含む労働協約を締結し、組合員が組合に留まること、非組合員が、組合に加入することを雇用条件として強制することが許されているのであるが、これは当該締結組合の団結権を助長し保障せんがためのものである。しかしながらかかる手段による労働組合団結強制の方法は、労働協約締結という使用者の行為を前提としており、ユニオン・ショップ約款の効果として、締結組合の組合員は組合から脱退し、又は除名された場合、解雇されるのであり、非組合員は解雇の危険にさらされ、新規雇入従業員は当該締結組合に加入することを雇用条件とする等、使用者が労働者の労働組合加入についての自由意思を拘束するものであるから、特定の場合の他は使用者が労働者の団結権を侵害するものと認められるのである。

従つて、労働組合法第七条第一号は労働者の過半数を代表する労働組合の団結権を助長し強固にすることが、労働者全部の利益に合致するという観点から、特にその但書において、多数者の意思を尊重し、協約締結の当時に従業員の過半数を代表する労働組合との間においてのみ、使用者はかかる広汎な影響力を有するユニオン・ショップ約款を含む労働協約を締結することを妨げない旨規定しているのであつて、使用者が従業員の過半数に満たない労働組合との間にもかかる労働協約を締結することを許すものとするならば、結果において少数者の意思により、非組合員である大多数の従業員の団結権を不当に奪うのみならず、締結組合の組合員がその組合を脱退し、又は他の既存組合に加入する自由を拘束することになるから使用者がかかる少数組合との間に、この種の労働協約を締結することは、その意図のいかんを問わず、当然に不当労働行為として許されないものといわなければならない。いわんや、本件におけるように、同一事業場に二以上の労働組合が存在し（――会社の従業員二五五名中、第一組合二〇四名、第二組合三七名）、多数組合との間には労働協約の締結がなく、少数組合との間にユニオン・ショップ約款を含む労働協約の締結をみた場合には、そのユニオン・ショップ約款は従業員が多数組合に加入しないこと、又は多数組合から脱退することを雇用条件とするものであるから、労働組合法第七条第一号本文に定める不当労働行為に該当することは明かである」。

「これを本件につき見るに、会社は第一組合から労働協約締結の団体交渉の申込を受けたにかかわらず、これに応ずることを延引しながら、三週間後第二組合結成の翌日、従業員の過半数に満たない第二組合との間に同組合と労働協約締結の団体交渉を行い、その結果第一組合に加入しないことを条件とし、又は第二組合を脱退して第一組合に加入する者を解雇するということを条件とするユニオン・ショップ約款を含む労働協約を締結したのであるから、会社のこの行為は、労働組合法第七条第一号に違反する不当労働行為を構成するものと断定せざるを得ない」。

「会社は、本件労働協約の締結に当り、同協約第三条第三号の除外規定に基き、第二組合との間に第一組合員を除外する旨協議決定し、その旨を議事録にとどめたから、本件労働協約は第一組合員に関係がない旨主張する。その主張……明かであるが、非組合員はもとより第二組合の組合員がその自由意思により、第二組合を脱退して第一組合に加入しようとする場合には、会社主張のような除外は、これらの者に及ぶことなく、この者は解雇の危険にさらされるのであるから、かかる事実をもつてしては会社の本件締結行為が不当労働行為に当ることを否定するに足らない」。第二組合との間のユニオン・ショップ条項の削除等を命令（林銀紙器印刷事件、大阪地労昭二九・五・二一　一部救編六七三）。

【28】「被申立人は会社としては事実上、全日海の力に押し切られたもので己れの非力を痛感している旨主張するが、前掲認定の通りクローズド・ショップ協約案等が全日海から会社に対して強く要求されたものであることと、会社が斯る全日海の申入に基く協約を全港湾切崩しの手段に利用せんとしたことは別個の問題に属するのであつて他に前記認定を左右するに足る証拠はないのである」。

「会社は……昭和二十九年三月三十一日全日海と附属協定をなし、同日其の附属協定に基いて全港湾の組合員各自に対し来る四月十五日までに全日海に加入しない時は解雇する旨文書を以て通知したことが認められる。

おもうに会社が全日海との間に附属協定を結ぶと否とは、もとより会社の自由な選択に任せられた問題であるが、全日海の場合は兎もあれ、会社が先に十一月十八日締結の協約第四条の所謂クローズド・ショップ約款を以てしては、その実効が不充分であるとしたことは明らかに全港湾抹殺をより強力ならしめんとしたことであつて、而も斯る意図により締結された附属協定に基いて全港湾組合員に対し全日海に加入しないときは解雇する旨を通告したのであるから、之によつて全港湾組合員に多大の打撃と動揺を来したであろうことは当然に窺われるところである。従つて会社が三月三十一日全日海と附属協定を結びこれに基いて同日全港湾組合員に対し前示解雇予告を発したことは明らかに全港湾に対する切崩しの意図を以て解雇予告をなしたものと見なければならない」。全港湾組合の運営に支配介入した行為だとし、全日本海員組合との協約を理由に、全港湾の組合員を解雇その他の不利益な取扱いをしてはならないと命令（元山運輸事件、山口地労昭二九・六・二五　一部救編六九一）。

【29】「第二組合の結成後、被申立人は、これとユニオン・ショップ条項を含む労働協約を締結した上、右

条項を理由として申立組合の組合員金川忠史外七名……に対し、第二組合に加入しなければ解雇承認と認むる旨の文書による通告をなし……一方被申立人の取締役その他の上層幹部は、申立組合の組合員高橋清その他数名の者に対し、第二組合加入を勧告強要したり、申立組合の執行委員浜田昌楠に対し、配置転換を指示する等の行為をなし、それらの行為の結果申立組合より多数の脱退者を見たことは……認めることができる」。「労働協約中にユニオン・ショップ条項を置くことを認める労働組合法第七条第一号但書の趣旨は、労働者の団結権を助長しこれを強固ならしむるに在るのに拘わらず、本件の場合には、既に存する申立組合を潰滅する具に供せらるるの結果をみており、同条の精神に反するところである。而して第二組合の結成の経過及びその後の会社と第二組合との関係等が既に認定した通りであることを併せて考えると、右条項は専ら申立組合を潰滅せしむるためにのみ規定せられたものと認めざるを得ない。従つて、被申立人が第二組合と右条項を約束したことは、労働組合法第七条第三号に違反するものと判断せねばならない。故にこの場合には、右条項が単にその締結の際、申立組合の組合員であつた者に対し拘束力がないというだけではなく、右条項は無効であるから、第二組合より脱退しても或いはこれに加入しなくても、被申立人は右条項により従業員たる身分に関係を及ぼす処置を取り得ないものと解するわけである」。第二組合を脱退すること、除名されたこと、又は右組合に加入しないことを理由として、これを解雇し、又はこれに対し不利益な処分をしてはならない、と命令（塩田組事件、兵庫地労昭二三・一・四・三〇　一部救編九二九）。

本件の再審査事件（中労委昭二三・二・五　一部救済編九四〇）も、本初審命令を確認した。

つぎに企業内と企業外に組合が併存する場合に、企業内組合とのユニオン・ショップ協定があることから、その後雇用される労働者に、企業外組合からの脱退を条件とした事件がある。

【30】（事実）営業譲渡に伴う雇用関係の承継に関して、両備バス会社と、もと岡山バス従業員（私鉄中

国所属）との間に和解が成立した。しかしその解釈をめぐつて対立があり、会社は私鉄中国からの脱退が条件だとして、申請人らに雇用の意思表示を留保し、賃金の支払いを拒否した。申請人らは会社の従業員であることの確認、賃金の支払いを求めて仮処分を申請した。なお会社とその従業員の組織する両備組合との間には、ユニオン・ショップ協定が定められていた。

（判旨）私鉄中国の脱退が条件だと認めたのち、「労働組合法第七条第一号本文後段の規定によれば、使用者は労働者が労働組合から脱退することを雇用条件（黄犬契約）とすることは不当労働行為として禁止されているが、使用者が労働協約においてユニオン・ショップの協定をしている場合にはその後雇用すべき労働者に対し労働組合から脱退することを雇用条件としても何等妨げないことは同条項但書の規定上明らかであるので、被申請人が本件の如き事情の下において、申請人等が私鉄中国から脱退して個人として雇用さるべきことを条件としたことは不当労働行為を構成するものではない」。申請を却下（両備バス事件、岡山地判昭三〇・一・二九労民集六・一・三〇）。

企業内組合の多いこれまでのわが国としては、こうした事件は営業譲渡などのさいに起つてくる、どちらかといえば数すくない事例だと思われる。それだけにこの判決は、十分考えられたものであつたとはいえない。従来のユニオン・ショップに関する判例の基本的考え方は、組合分裂のさいや他組合員にはその効力が及ばないとすることによつて、他組合からの脱退強制ということは否定してきた。だからこの判決は、こうした判例の流れからも孤立しているし、団結権保障という本来の趣旨に反するといわねばならないだろう。この事件の控訴審（広島高岡山支判昭三〇・六・二〇労民集六・三・三五九）は、和解協定の解釈により、申請人らが当然従業員の身分を取得したものとして、さきの論点にはふれずに原判決を取消した。

六　ユニオン・ショップ協定の履行強制

使用者がユニオン・ショップ協定に違反した場合、もちろん、組合は訴訟をもつて争うことはできる。しかし判決に至るには時間もかかるし、使用者が解雇義務を履行しない場合の執行の方法という点になると、いよいよ問題がある。すなわち理論的には間接強制（民訴法第七三四条）による方法や損害賠償の請求（民法第四一五条）ができるわけであるが、間接強制の場合の損害賠償額の多少とか、第四一五条による損害賠償の額をどう算定するかとか、果して労使の対立において実効を期しうるのかどうか疑わしい点がある。判例としてもこの種のものはきわめてすくない。つぎの二、三件がみあたるだけである。

志賀工業事件（大津地決昭二三・七・一五労民資一・一八六）は、会社が被除名者一五名を解雇しないのは「この会社の従業員である組合から除名せられたものは引続き会社之を雇傭しない」との協約に違反するとして、右の者を「被申請会社の業務に関与させてはならない」との仮処分命令を申請、そのとおりの決定を得ている。ただし決定に理由は附されていない。なお、申請を却下された前出【15】を参照。

もう一つは、主たる請求として、脱退者一八名が被告会社の従業員たる身分を有しないことの確認を（前出【11】）、予備的請求として、右脱退者にたいし解雇の意思表示をなすべきことを求めた中国電力事件である。

【31】　脱退は昭和二八年八月二九日であつたが、その後同年九月一八日に協約の有効期間が満了していた。判決は予備的請求につき、「前記労働協約第四条の条項がいわゆるユニオン・ショップ約款に属するものであ

ることは同条項の文言自体により明白であるが、およそユニオン・ショップ約款は、労働組合が自己の組織強制に従わない者に対して本来使用者の経営権に属する解雇の効力をかりて、心理的にも実質的にも組合秩序の維持を強制し、使用者もかかる組合の秩序維持について企業上の利益を期待して、暫定的に、協約の有効期間を限り、その間の組織を乱す者に対して経営権上の協力を約束する趣旨のものであるから、労働組合が右約款に基いて使用者に対し組合員たる身分を失つた者の解雇を要求し、これを強制せしめ得るのは協約の有効期間中に限られるものであつて使用者において労働組合の解雇請求に応ぜず日時の経過と共に協約が失効したときは労働組合は使用者に対し債務不履行による損害賠償を請求するは格別とし最早解雇を請求することは、できなくなるものと解するを相当とする。而して本件協約が遅くとも昭和二十八年九月十八日を以て失効したこと前記のとおりであるから、たとえそれ以前に原告組合が被告会社に対して本件脱退者に対する解雇請求権を行使したとしても、右協約の失効した現在においては原告組合は被告会社に対して右解雇義務の履行を求め得なくなつたものといわねばならない」（中国電力事件、広島地判昭三〇・七・三〇労民集六・五・五四九）。

右の判決のような理論にしたがえば、ユニオン・ショップ条項違反を協約有効期間満了までつづければ、使用者の勝となる。そして法律的手続によるかぎり、ショップ条項を全く無意味なものにすることになりそうである。組織を乱す者の動きを放置することによつて団結が弱化したあとでは、損害賠償など役に立たないからである。しかもその結論をもたらしたのは、ユニオン・ショップ条項についての、判決の独自のとらえ方にあつた。すなわちユニオン・ショップ条項は、協約の有効期間をかぎり、経営権上の協力（解雇）を約束する趣旨だというのである。しかし協約の有効期間は、解雇義務が有効に発生するための期間を定めているにすぎない。特約でもないかぎり、すでに発生した債務の履行請求を限定づけたものではないと考えるのが、協約解釈の常識であろう。判決の理論は、とうてい納得できないと考える（早大大学院労働法ゼミナール「ユニオン・ショップと解雇―中国電力事件判例研究」季労【18】参照）。

ところで右判決のような解釈によらないとしても、訴訟には前述のように種々の制約が伴う。だからユニオン・ショップ条項の履行には、組合がその実力を以て確保するのが最も大切なことはいうまでもない。そして訴訟による実効性がとぼしいだけ、自力救済的行動として是認される幅もひろくなるだろう。たとえば東邦亜鉛スト事件（前出【16】）において組合側は、会社がユニオン・ショップ条項を含む労働協約に違反して、新組合の組合員を就労させる等、被申請人組合の団結権、争議権を侵害する違法な操業をしているから、これを阻止することは正当な争議行為だと主張した。これに対して判決は、本件のように組合の統一的基盤が失われてしまつた場合には、ショップ条項の効力は及ばず、「会社の操業を目して被申請人組合の団結権、争議権を侵害する違法なるものと謂うことはできない」とする。そして「前記の如く特別事情の認められない本件においては」、組合の行つているピケットは正当な争議行為を逸脱しているとしたのである。だから、もしショップ条項違反のような特別事情ありと認めた場合には、争議行為の正当性の判断も異なつてきたであろう。

そのほか、ユニオン・ショップ協定の履行を求める争議が正当なのは論ずるまでもない。したがつて、その正当性が争われた事件もない。ただこの点に、傍論でふれたものがあるので、あげておこう。ユニオン・ショップ協定は存在しないが、被除名者の解雇を要求する争議の正当性が争点となつた事件である。

【32】「ショップ制（クローズド又はユニオン・ショップをいう、以下同じ）の原理的適法性の根拠は、それが労働者の団結の強化を助長し使用者との関係においてその交渉力を増強せしめ、労働者の地位の向上を可能ならしめる事が期待されることになるから、ショップ制約款を含む労働協約の締結を要求する争議行為乃至はすでに成立したショップ約款に基く解雇を要求する争議行為が違法でないことはもとより、団結の強化を目途として組合員でない特定の労働者の解雇を要求する争議行為も、使用者が右要求を適法に処理しうる自由を有する限り違法なものでないといわなければならない。

なお、被申立人又は本件労働争議と労働条件との結びつきを問題にしているようであるが、ショップ制は前段説示のとおり労働者の地位の向上従つて労働条件の維持改善と無関係ではあり得ないから本件争議行為が具体的労働条件の維持向上と直接に結びつかないからといつてこれを違法視することは当らない」（杉田屋印刷事件、東京都労昭三〇・六・一六業篇一一二三）。

【33】「争議によつて貫徹しようとする要求が、その実現によつて直接的に労働者の経済的生活の維持又は向上の結果を招来するものであると或は間接的にその目的達成に向けられるものであるとを問わず目的の適法性において差異はないと解すべきである。しかして労働組合の団結を保持すること若しくは労働協約の履行を求めること等もまた間接的に右の目的に適うこと勿論であるから、労働組合の団結に対する侵害を排除することを目的とする争議若しくは労働協約違反を攻撃するための争議も適法である。……ところで本件においては、クローズドショップ又はユニオンショップ協定の存在しないことは当事者間に争のないところであるから、使用者が労働組合に対し組合から除名されたことを理由として従業員を解雇すべき協約上の義務を負担していないものというべきであるので、組合が会社に対して組合から除名された従業員の解雇を目的とする争議はその目的自体から直に争議が正当の目的を有するものと解することはできない。然しながら争議の直接目的が従業員の解雇を要求することに在つても間接的に組合の団結権の擁護その他組合員の経済的

地位の改善を目的とするものである以上争議を違法視すべきではない……」（杉田屋印刷仮処分事件、東京地決昭三〇・六・三〇労民集六・四・四八四）

労働協約の人事条項

片　岡　曻

はしがき

労働協約の人事条項といつても、判例にあらわれた限りでは、多くは、人事、殊に解雇についての同意ないし協議条項に関するものである。ただこれらは、従来の協約理論に対して実証的立場から多くの問題を提起したという意味で、極めて重要な意義を担つている。従つて、この種条項を扱うに当つては、より根本的に、労働協約の本質ないし協約の法的構成そのものを問題としなければならない。判例、学説ともに、この種条項を扱うに当つて、自己の協約理論を浮きぼりにする結果となつているのも故なしとしない。本稿でも或る程度まで協約に対する筆者自身の考え方を述べざるをえないこととなつたが、一体に協約理論の体系化は、わが国の学界にとつても、今後に残された課題のように思われる。

元来協約の本質論は、一方で法の本質論から法源理論にも連る困難な問題であるため、周到な検討を要することは、もちろんである。ただ従来の協約理論については、労働協約の実態に即しながら、しかも団結の機能と関連せしめて、根本的反省を加える必要があると思う。殊に、労働協約自体が完全に成型化せしめられる段階に達せず、組合運動との関連において依然将来への展望をはらみながら、極めて特殊的な内容と形態のもとに流動せしめられているわが国の現状のもとでは、一層それが痛感せられる。

一　序　説

一　わが国の労働協約は、諸外国の協約に比して著しい特質を有しているが、それらは、多かれ少かれ、企業別組織を中心としたこの国の労働組合運動の特質を反映するものといえるであろう。殊に終戦直後にあつては、いわゆる「権利宣言型」協約としてあらわされるように、賃金に関する協定を協約とは別個に定める一方、協約自体は、労働者の団結権・団交権等の権利を宣言的に規定するという意味で、極めて抽象的内容たるを免れなかつた。かつまた、何らかの意味で経営参加をうたい、そのため経営協議会を設置し、殊に組合員の人事に関して、組合と協議決定する旨ないし組合の同意を要する旨定めるものが圧倒的であつた。人事その他、企業経営に関する事項について、組合の発言力が直接間接に確保されようとしたのは、主として労働組合が企業別組織であり、組合員の利害が企業の運営自体と大きな関係を保ちつつ解決されざるをえないという事情に基いているとみられるが、さらにそれは人事管理における合理性の欠如や団結権侵害に対する矯正の意味において、或いはまた、法律による一般的な解雇制限措置の不存在に対処する方法としても、打ち出されたといえる。かような傾向は、今日においても基本的には変りはない。講和を契機とした組合側の統一労働協約締結の運動においても、人事権への積極的参加の確保は、厳正なユニオン・ショップ制の採用や上部団体の交渉権の確認等と並ぶ基本的な要求事項とされた。しかしながら、企業の内部的事項に関して労働組合の影響力を強く滲透せしめようとする傾向は、昭和二三年前後から失地回復をめざす使用者側の大きな抵抗に直面したため、今日の労働協約においては、いわば妥協的形態をとつて具体化されるに至つている。すなわち、一方において使用者側は労働組合の基本的権利を確認する旨の規定をおくと同時に、組合側は使用者の経営権を尊重すべきことをうたい、かような経営権の範囲には、企業組織、職制、生産計画等に関する事項のほかに、一切の人事管理に関する事項を含むものとされるのである（労働省「労働協約全書」四〇頁以下参照）。そして、組合員の人事に関する組合の同意権ないし協議権を認めた協約条項の意味が、かような経営権ないし人事権尊重の規定と併せて考慮せられる結果、使用者の人事権の行使に関して基本的な制約を加ええないものとされることは、後にもみるとおりである（例えば、東京新聞事件、東京地決昭三二・三・一九）。

ところで、人事編成に関する事項は、殊に大量の労働力の組織的利用のうえに成り立つ近代的企業にとつて、「経営権」のうちでも極めて重要な、「経営における統率の中枢をなす権限」（津曲蔵之丞「労働法総論」三二五頁）ともいわれるべきものである。元来、「人事権」の概念そのものが、使用者対個別労働者の無数の関係の単なる併存のうえに成立するものではなく、それらの組織的、有機的結合のもとではじめて認めえられる概念である。そして、かような人事編成に関する権限ないし人事権は、自らの責任において企業の運営に当る企業主に固有の権限ということができる。

しかし、労働者側からみれば、人事編成にかかわる事項が経営内における労働者の地位ないし待遇にかかわる事項として、労働者の利害に密接な関連を有することも、改めて指摘するまでもない。* 使用者の人事権に対して、労働組合による制約を加えようとする強い要求を生ずるゆえんである。しかも、使用者の人事権に対する労働組合側の発言権が増大し、人事に関する一般的基準の設定から、それに基く個別的人事の決定に至るまで組合ないし労働者側の積極的関与が認められるに至れば、人事権の内容と性格に大幅な変化がもたらされることとなる。すなわち、人事権の行使は、企業主としての使用者により、もつぱら企業組織ないし運営上の必要に基き一方的に行われる——もとよりその場合にあつても、企業組織内部に不可欠の規範的要請に従つてなされることはいうまでもないが——ものたることをやめ、例えばその行使の基準の設定自体が、もはや使用者に固有の権限範囲内の事項たる性格を脱却し、労働組合と使用者との協定によりとりきめらるべき純然たる労働条件事項となるとか、かような基準に基く個別的人事の決定についても、労働者側の意思参加を許容する等の形態が現実化されてくるのである。

* 人事が労働条件に密接な関連をもつことは、多くの判例の認めるところであるが、経営内における従業員の地位に重要な関連を有する職場編成問題につき、次の如く述べた判例がある。「職場編成とは一方如何なる製品を如何なる作業組織で生産するかという生産計画、作業計画であり従つて使用者が経営権に基き決定すべき事項でありそれに要する人員の調達異動も使用者の決定すべき事項であるが、他方右の如き職場再編成は必然的に元来労使間の合意で定めらるべき労働者の職種就労の場所等の重要な労働条件に関連しているのであり、労働者の団結権が保障されているのも結局これ等の労働条件を対等の交渉によつて実質的に自由な合意で定めることを可能にするためであるから、かかる問題につき団体交渉が許されないとするならば団体交渉の保障は無意味であるから団体交渉の対象となるもの と解すべきである」（栃木化成救済命令取消事件、宇都宮地判昭三三・二・二五労民集九・一・六七）。

ところで、一般に人事とは、労働者の採用・配置転換・休職・解雇・賞罰等、経営内における労働者の地位・職務内容の得喪変更に関する事項を総称するが、わが国の協約例によれば、広く次の如き諸事項が含まれている。

(1)　従業員の採用・異動・休職・任免・賞罰・解雇に関する事項。

(2)　従業員の能力、身体の適否等人事考課に関する事項。

(3)　服務規律の確保、能率増進に関する指揮統制（「労働協約全書」前掲三九五―六頁）。

さらにこれらの人事事項に対して労働協約上加えられる労働組合側の制約には、一般に次の如き形態が認められる。すなわち、

(1)　人事の一般的基準につき、

(イ)　具体的基準を定めるもの。

(ロ)　一般的基準の設定につき、組合の同意・協議・諮問等を要する旨定めるもの。

(2)　個々の人事の具体的決定につき、組合の同意・協議等を要するとするもの。

(3)　使用者の決定した人事につき、異議申立の途を開くもの（同上三九〇頁参照）。

さらに、これらが幾つかに組み合されて、例えば解雇の具体的基準を規定しつつ、個別的な解雇の決定につき労働組合の同意または協議ないし承認を要する旨定めるとか、人事の一般的基準の設定及び個別的な人事の決定ともに組合の同意ないし協議を要するとするもの等の方式が認められる（同上参照）。ただ判例にあらわれた限りでは、人事殊に解雇に関して労働組合の同意・協議・承認または諮問等を要する旨を一般的に規定した場合が最も多い。しかも、それらに関する事件は、昭和二四年を時点と

するわが国深刻な経済事情の変化、並びに同年六月の労働組合法改正により、従来の「権利宣言型」労働協約を使用者が一方的に破棄する途が法的に可能とされたという事情を強く反映するものとみられる。すなわち、かような条項によつて協約破棄後の大量の人員整理から自己を守ろうとした労働者側は、先ずこの種条項が協約破棄後も協約の余後効によつて効力を有することを主張し、第二段として右条項違反の解雇は無効である旨を争つたのである。

これに対し、他の人事事項に関する協定については、懲戒事件の場合を除いて比較的少数の事例があるにすぎない。しかし、人事同意（協議）条項を解雇問題についてどのように解釈、適用するかは、かつてのドイツ法学の理論的成果に追随する傾向を捨て切れなかつたわが国の協約理論に対して、重要な批判を提起する一の契機となつたことは疑いない。判例並びに学説は、かような協定が、使用者の人事権に制約を加えつつ、他方労働者の地位の強化を図ることを意図する点において、これに労組法第一六条に定める不可変的効力を承認しようとしたのであるが、それが必ずしも右規定にいわゆる「労働条件その他の労働者の待遇に関する基準」を明確に定めたとはいいえないところから、極めて困難な立場に立たしめられたのである。後述のように、東京地裁の一連の裁判例は、「人事同意（協議）条項」が明確な労働条件の基準を定めたといいえない場合でも、それは労働者の経営参加を定めたいわば制度的部分とも称すべきものであるから、かかる条項に違反してなされる解雇を無効とする効力を認むべきであるとして、労働協約理論における新生面を開こうとする意図的な試みを示した。

また学説では、これをさらに進めて、労働協約を法源たる規範的部分と契約たる債務的部分に分つことなく、全体として法規範として捉え、ただ「解雇同意（協議）条項」のように集団的労働関係を適用の場としつつ、個別的労働関係にも関連を有するものについては、これに違反する解雇を無効とする効力を認むべきである、とする新たな見地を導入するに至つた（石井照久「労働法」一六三頁）。およそ労働協約が、労使の利害の対抗を基礎として成り立ち、かつ全体としてかかる対抗関係の基礎上において機能するという基本的な性格を失うものでない限り、労働協約から一切の契約的要素を捨象し去ることには、根本的な疑問が存するのであるが、いずれにせよ、右の如き見解が、在来の狭隘な協約理論の枠を大胆に押し広げる試みを示したことは、重要な意味を有するとせねばならない。

二　労働協約の法的性格、殊にその法源たる性格は、労働協約が、経営もしくは職業ないし産業社会における社会規範として存在し、かつそれが労使双方の法的確信によつて支持を受けるところに、その根拠を求めるべきである。従つて、具体的な協約条項を判断するに当つて、個別労働契約の内容となりうるかどうかの基準のみによつて、その規範的性格ないし効力の有無を決定するという態度は、狭きにすぎるといわねばならない。個別労働契約ないし労働関係の内容とは必ずしも直接の関連を有しない条項についても、経営もしくは職業ないし産業社会の法規範たる労働協約の一環として、それの果す意義や役割から判断して、一定の規範的性格ないし効力を承認することが必要であるし、また可能である。

例えば労働者の経営参加に関する条項は、本来個別労働契約の内容を直接に定めることを目的とするものではない。しかしながら、それは、組織体としての経営にとり必要な秩序ないしは制度の形成並びにその運営に関して労働者の団体の関与を許すものであつて、いわゆる経営社会の「組織規範」というべきものに属する。ただ労働条件の基準を定める条項が、個々の労働契約の内容を直接かつ強行的に規律する効力を有し、協約基準に達しない契約の約定は無効とされ、無効となつた部分については労働協約の基準によつて律せられるというのに対して、組織規範としての経営参加条項は、労働組合に対し経営における機関としての地位を保障すると同時に、それによつて経営社会の構成員としての労使を強行的に拘束し、かつその程度において個別労働関係の内容にも影響を与えるという差違があるにすぎない。換言すれば、労組法第一六条の規定は、労働協約の規範的効力のうち最も重要かつ中核となるものについて特に宣言的に規定したにとどまり、労働条件の基準以外の事項を定めた協定についても、一定の規範的効力を承認することを排除する趣旨ではないと解すべきである。今日西独の労働協約法（Tarifvertragsgesetz）も、かような見地に立つている。*

* かつてのドイツ労働法学は、労働協約の理論構成に当つて、特に協約の規範形成的側面に重点をおいたのであるが、その際、労働協約における労働条件の規定が個別契約の内容を不可変的に規律する点に、協約の規範的性格の根拠を求めた。従つて、個別契約の内容たりうる条項、いわゆる内容規範（Inhaltsnormen）のみが規範的部分として規範的効力を有し、協約の余後効についても、協約基準がいわば個別契約の内容に化体して、協約失効後もその効力を及ぼすものと考えたのである。これに対し今日西独の労働協約法は、単に内容規範に限らず、労働関係の成立に関する条項（労働契約締結の命令・禁止もしくは要式を定めたいわゆる成立規範“Abschlussnormen”)、及び従業員の経営参加ないし共同決定に関する経営組織規範（Betriebsverfassungsnormen）、経営規律等に関する経営規範（Betriebsnormen）等も、規範的効力を

を有するものとし、ただこれらの規範の効力につき、それぞれの性質に従つて判断すべきものとする。のみならず、経営規範並びに経営組織規範については、協約の拘束を受ける使用者に雇用される従業員全体に適用があるものとし（労働協約法三条二項）、単に協約当事者たる労働組合の構成員のみならず、非組合員にも適用を認める。従つて、例えば、従業員の解雇につき経営協議会の同意を要する旨の協定は、経営組織規範であるが、これに違反する解雇を無効ならしめる点において強行法的効力を有し、しかも非組合員の解雇に対しても、同様の手続を必要たらしめるのである（もつとも、この種協定は、経営組織規範であると同時に従業員の法的地位の強化を企図する点で、労働契約の内容に関する規範ともいいうる。Hueck-Nipperdey, Lehrbuch des Arbeitsrechts, 6. Aufl., 2. Bd., S. 217）。また、労働協約の余後効についても、明文をもつて規定するが（同法四条五項）、この点も個別契約の内容との関連においてのみ余後効を肯定した古い態度によつては、もはや上記のような広汎な協約規範のあり方に対応することができないことを考慮してのことと考えられる（vgl. Nikisch, Arbeitsrecht, 1951, SS. 318-9）。

三　上述のとおり、判例では、人事条項のうちでも「解雇同意（協議）条項」に関するものが圧倒的に多い。以下の叙述においても、勢いこれらの判例についての検討が重要部分を占めざるをえない。なお、経営参加自体については、別に独立のテーマとしてとりあげられる予定であるから、必要以上にはふれない。また、従業員の賞罰に関する条項についても、大部分別に検討される予定の懲戒解雇の項にゆずり、特に問題となる場合についてのみ言及するにとどめた。

二　解雇基準を定める条項

一　法的性質並びに効力

すでにふれたように、人事編成に関する諸事項は、企業主たる使用者の側からみれば、生産計画の樹立や職制の確立・維持等と並んで、企業組織の維持運営上極めて重要かつ固有の事項である一面、労働者側よりすれば、経営内における地位、職務内容の得喪・変更に関する事項として、極めて重要な労働条件事項としての性格をもつ。この場合、労使それぞれの権利の領域を分配、確定する基準として、人事基準の設定は労働条件事項、それに基く個々の人事権の行使は経営権の内容をなす事項、と区別する見解が認められる（津曲・前掲三二六頁、浪江源治「人事条項」（労働法講座四巻）九二〇頁。近藤富士雄「人員整理と解雇基準の運用」（解雇をめぐる法律問題）一二三頁　参照）。具体的な協約例についてみれば、その数的比率は各個の項目につきまちまちではあるが、具体的基準を定めるものの数は、全体としてかなりの数字に上ることは事実である。*

＊　前掲労働省調査によると、採用・人事異動・賞罰・解雇の各項目の基準につき、何らかの規定を有するもののパーセンテージとそのうちで具体的基準を有するもの及びそれ以外のものとの比率は、次表のとおり（「労働協約全書」四〇二頁以下）。

項目	規定を有するものの割合	具体的基準を有するもの	同意・協議・諮問等	使用者専行
採用	五二・八%	一・八%	三三・四%	一四・六%
異動	四五・七%	一・〇%	二九・三%	一四・六%
賞	四七・八%	二一・四%	二一・六%	二・〇%
罰	五一・九%	二四・三%	二二・八%	一・八%
解雇	七一・三%	三二・七%	三六・三%	一・三%

ただ、同意条項等の比率がかなり大であるが、同意条項は本来具体的基準を定める場合と同視せられてよいものといえる（後述）。

従って、実態のうえからみても、人事基準の設定は、労使間の団体交渉を通じて決定さるべき事項、いいかえれば、労働条件事項たる性格を次第に濃厚ならしめつつあるといえよう。かように、使用者の企業組織運営上の権限と労働者の労働条件との双方にそれぞれ重要な関連を有する事項については、少くもその基準について、使用者の一方的決定に委ねることなく、双方の団体交渉によつて決定せられるものというべきである。ただ、このことは、個別的人事の決定については、もつぱら使用者の経営権に専属するものとし（津曲、浪江・前掲参照）、その間労働者側の一切の関与を認めないことを意味するものではない。また、一たん労働協約において人事に関する具体的基準が定められた場合、それが労組法第一六条にいわゆる「労働条件の基準」に該当することは疑いなく、従つてかような基準に違反する人事上の措置は、法律上の効力を生じない。

以上のことは、解雇基準についても全面的に妥当する。協約に定められた解雇基準に適合しない解雇は、無効である。判例も、大体このような効力を認めている。

【1】「解雇は労働者にとつてその労働契約関係を終了せしめるという点において最大の待遇の変更であつて、その条件は労働者にとつて最も重要な労働条件をなすものといわねばならず、従つて労働協約における解雇条件についての規定は賃金、就業時間等の規定に優るとも劣らぬ程度において労働条件の基準をなす規範を形成し、右基準は解雇の有効要件をなし、右基準に反した解雇はその効力を生じないものといわねばならぬ」（新日本新聞社事件、大阪地決昭二四・一一・一一労民資七・二〇四、同旨松下電気産業事件、大阪地決昭二四・一一・二九同二二三頁）。

【2】「解雇基準は、使用者と労働組合が協定したときは労働協約に、使用者が一方的に定めたときは就業規則に準ずるものといえるから、これに違反する解雇は無効である」（東京鋼材事件、東京地決昭二五・六・二四労民集一・四・五三五頁）。

これに対し、或る判例は、

【3】「集団解雇における解雇基準の協定は、使用者をして協定所定の基準に拠らずしては個々の組合員を

解雇しない旨、解雇権を自己制限せしめたものであり、組合をして基準の解釈適用に争いのない限り、個々の組合員の解雇につき争わないことを約せしめるものであるが、それは同時に個々の組合員に対しては解雇権の自己制限により反射的に所定基準に該当しない集団解雇が行われることのないよう消極的保障を与えるものにほかならない。すなわち解雇基準協定はその法的拘束力を協約当事者たる使用者に対して解雇権を、組合に対しては統制力の対外的発動ないし争議権をそれぞれ制限する形で及ぼすけれども、個々の組合員に対する関係においては法的拘束力を及ぼすのではなくてむしろ保障を与えるものというべきである」(三井美唄事件、札幌地判昭三〇・一二・一三労民集六・六・七八六)。

と述べている。かような立場においても、解雇基準に該当しない解雇は、「解雇権の自己制限による個々の組合員に対する保障」を破るものとして無効となるが、ただ右判例において、この種条項が個々の組合員に対する関係においては法的拘束力を及ぼすものではないとする点、全く経営参加条項と同一趣旨に解しているものとして、必ずしも正当とはいい難い。「解雇権の自己制限」という表現にもみられるように、人事権は終極的に使用者の専行すべきものという観念に捉われすぎたきらいがある(この点、片岡「判例にあらわれた労働関係の理論」法学論叢六三巻四号参照)。

二　労働協約によらずに、使用者が一方的に定めた解雇基準の効力について、ついでにふれると、判例の立場は、次の如くはつきりと対立している。

(一)　基準違反の解雇の効力を無効とするもの。

【4】「およそ、具体的解雇に際し、一般従業員に対し解雇基準が明示された場合においては、使用者が右基準と全然無関係に、また右基準を専恣不合理に適用することは、解雇基準を定めた目的を没却せしめるものといわねばならない。従て、一般に、具体的解雇に際しその解雇権の行使につき一般従業員にその基準を

明示するときは、使用者としては、解雇基準に該当するもののみを解雇する趣旨を明かにしたもので、その限りにおいて使用者自ら解雇権を制限したものと解せられ、使用者が一方的に制定した就業規則に自ら拘束されるごとき効力と実質的に区別すべき理由がなく、その効力は労働条件に関する基準を示した企業内における一規範と解すべきであるから、この基準に該当しない場合の解雇の意思表示はその効力を生じないものと考えざるを得ない」（富士精密工業事件、東京地判昭二六・一一・一労民集二・五・五六五）。

（二）　違反の解雇を必ずしも無効とは解しないもの。

【5】「使用者が予め解雇の基準を労働組合との協定によつて労働協約のうちに定めたり、あるいは就業規則中に規定した場合には、右基準に該当することは解雇の要件をなし、これに違反して行われた解雇を無効ならしめる場合があるというべきであるけれども、使用者が企業整備に際して発表する企業再建整備計画の説明書中に掲げる人員整理基準の如きは、使用者がその行おうとする人員整理のできるだけ公正なことを担保すると共に、整理方針を従業員並びに第三者に説明するために記載するものであつて、未だこれをもつて使用者を拘束する解雇の要件をなすものとは考えられず、したがつて仮に被解雇者中右基準に該当しない者があつたとしても、そのことだけでは解雇を無効にするものとはいえない」（東宝事件、大阪地決昭二五・七・一労民集一・四・五八六）。

【6】「解雇基準は、それが予め労働契約、労働協約あるいは就業規則において定められ、労働条件となりうるような場合であればとにかく、本件における如く、使用者が多数の従業員を解雇するに当つて、一応の基準を一方的に設定したに過ぎないような場合には、この基準が使用者の解雇権の行使について規範的効力を有するものではなく、したがつて当該基準に該当しない解雇といえども当然に無効となるものではない。ただ、解雇基準の不明確、あるいは解雇基準に該当しないこと等が、当該解雇が解雇権の濫用または不法な目的を有する解雇等（例えば不当労働行為、信条による差別的解雇等）であることを推測せしめるための有力な徴憑事実となり得るに過ぎない」（日本鋼管事件、東京地判昭二七・一二・二三昭二六(ワ)五九三七）。

三　労働協約における解雇基準を定める条項は、通常使用者の解雇権の行使を当該基準に合致する範囲内に制限する趣旨と解せられるが、労働協約と就業規則とがそれぞれ別個の解雇基準を定める場合には、もとより協約基準が優先し、就業規則のみに基づいてなされる解雇は無効である（労基法九二条一項）。

【7】協約三三条（解雇）には、次の如く規定されていた。

「会社は左に該当する組合員は解雇する。

一、懲戒解雇と決定したもの。

二、協約第九条（ユニオン・ショップ条項）該当者。

三、休職期間が満了尚業務に堪えない者。

四、専門医の診断により、精神又は身体に障害を生じて業務に堪え得られない者。

五、満五十歳以上にして作業能力が著しく低下し又は身体に故障を生じたる者。但し此の場合は組合の意見を徴するものとする」。

また就業規則六五条の解雇基準は、

「一、停年に達したとき。

二、休職期間満了したとき。

三、会社の承認なしに他に就職し又は自己の業務を営むに至つたとき。

四、打切補償を行う者について必要があるとき。

五、労働能率が悪く、会社従業員として適格性を欠くるとき。

六、精神又は身体の障害があるか又は虚弱、疾病のため業務に堪えられないとき。

七、やむを得ない事由により事業を縮少するとき。

八、作業の合理化その他の事由により冗員を生じたとき。
九、正当な事由なくして異動を拒んだとき。
一〇、試の使用期間中の者で不適当と認めたとき。
一一、その他前各号に準ずる事由のあるとき」

となつた。

「前示協約三三条と規則六五条とのように、協約と規則とが同一の解雇条項について、異なつた基準を定めている場合の両者の関係は、協約によつて解雇することができない以上、たとえ、規則によつて解雇することができても、組合員である従業員を解雇することはできないものと解する。

そして協約三三条の規定は列挙的なものであつて、組合員である従業員は、同条所定の事由のある場合にだけ解雇され、それ以外の事由では解雇されることがないことを保障するものであると解する。したがつて、規則六五条によつて解雇するとしても、それが協約によつて解雇することのできない場合には、規則による解雇の意思表示は、無効であるといわなければならない。

ところで、規則六五条にいわゆる『労働能率が悪く』というのが、協約三三条五号にいわゆる『作業能力が著しく低下し』というのと、仮に、同義異語であるとしても、同協約には、『満五十歳以上にして』という制限があるから、大正三年一月一三日出生の申請人を協約三三条五号によつて解雇することはできない」(弘南バス事件、青森地決昭三〇・四・二労民集六・四・四〇一)。

この点について特に問題となるのは、包括的意味を有する「やむをえない業務上の都合によるとき」といつた種類の基準の意味である。かような基準は、解雇基準が使用者の解雇権を制限するところから、人員整理の必要その他を予想してその制限に弾力性をもたしめるために設けられるものと解せられ、従つてそのような必要の生じた場合に、使用者に人選その他具体的処置についての広汎な自由を認めたものと解せられる場合が多いといえる。ただ、当該解雇が、「やむをえない業務上の必要による」か否かの具体的な認定に当つて、特に注意すべきことは、単に企業経営上の理由のみならず労働者の生存権に対する要請が十分に考慮されるべきことである(後出【11】等参照)。また、使用者の指揮命令権といえども、労働契約、協約、就業規則等による規律を受け、無制限のものではないから、かような限界を超える使用者の命令に対しては労働者は服従の義務を負わない。従つて、このような場合に、業務命令違反を理由として重大な労働義務ないし契約義務違反に当るとし、当該労働者を解雇しえないことも、当然である。

次の判例は、「やむをえない事由」には労働者の重大な契約義務の違反を含むとしたものである。

【8】 労働協約第二二条所定の解雇基準、一、精神若しくは身体に障害があるか又は老衰、虚弱その他疾病のため業務に堪えないと認めたとき、二、技倆能率が著しく不良であつて上達の見込がないと認めたとき、三、已むを得ない業務上の都合によるとき、四、その他前各号に準ずる事由のあるとき。

「『已むを得ない業務上の都合によるとき』とは同条の規定の趣旨に照し解雇の必要性に関する使用者側のみの事由に限らず、労働者側に存する事由をも包含するものであつて、労働者が雇用契約上の重大な義務違反をなしたため、使用者が職場規律維持の観点から当該労働者を解雇することが、社会通念上肯認される場合等をも指称するものと解するのが相当であるから、申請人の前記業務命令拒否がかかる程度に重大な義務違反であるかどうかについて検討する。

一般に企業にあつては、企業施設と労働力とが有機的に統一して構成されていて、労働者は企業の効率的運営に寄与するため労働力の提供を約諾しているのが通例であるから、使用者は、この企業を運営するため、労働力を按配して使用する権能を有するわけである。従つて使用者は、労働者との間に配置転換をなさない旨等の特別の合意がない限り、労働契約の趣旨に従つて、労働者に対し、配置転換又は他の職場における作業の応援命令をなし得るのであり、これが法令に違反し、又は著しく不当なものでない限り、労働者はこれに服すべき雇用契約上の義務を有する。被申請人会社の申請人に対してなした前記業務命令は法令に違反するもの又は著しく不当なものと認めることはできないし、且つ被申請人会社は申請人に対し、夏布団作成完了までの間臨時の措置として布団場に応援に赴くよう命じたのにもかかわらず、申請人は不満であると表明するのみでその他に何ら合理的な理由を明示することなくこれを拒否し、遂には作業の遂行に支障を生ぜしめたのであるから、申請人の右所為は、雇用契約上の重大な義務違反というべく、右協約にいう『已むを得ない業務上の都合によるとき』に該当する。もつとも申請人が当初保母として採用されながら間もなく労務庶務係に配転され、次で布団場の作業の応援を命ぜられたのであるから、労働契約の趣旨に照し布団場の作業をなすことは申請人の予期しないことであつてこれに不満を抱くことは諒察することは難くないけれども、労務庶務係への配転については特に反対を表明した疎明はないし、また作業の都合上臨時的に布団場の応援作業に従事することが著しく不当のものでないことは前記認定の通りであるから自己の意に満たなかつたであろうことは首肯し得ても、その故に右の業務命令を拒否すべき正当の事由あるものということはできない」（日紡東京工場事件、東京地決昭三一・七・二労民集七・四・六二一）。

また、右に類似した「正当な理由なくして解雇しない」旨の包括的な協約条項に関し、成立事情から判断して、右の「正当な理由」とは、就業規則違反の場合を意味し、「以後たとえ人件費が右の枠〔八五〇〇万円の枠〕を超えたとしても、任意的な退職を求めるのは格別単に会社の人件費の総額が八百五十万円の枠を超えたという理由のみによつては組合員たる従業員を解雇できないという拘束をうけるに至つたもの」（夕刊フクニチ事件、福岡地判昭三三・六・四労民集九・三・二四六）とした判例がある。

＊　＊　＊

これらの点については、就業規則上同一の内容を定めた場合についての判例が多くみうけられる。趣旨について、必ずしも本質的差異はないと思われるもの、ないし具体的判断の参考とすべきもののうち、代表的な例を若干左にかかげておく。

(イ)「やむをえない事由」と人員整理

【9】「整理の必要のあることについては既に説明した通りであるが、此の整理の必要のあると云うことは就業規則に已むを得ない事実上の都合に依るときと云うに該当する。そして反対の定がないから斯様に整理の必要上解雇する場合には解雇基準を定むることを要するものではない。会社は解雇すべき者を自由に選定することが出来る。例えば抽籤の方法によつても敢て不可はない訳である。しかし経営合理化のために整理するのであるから此の目的に副つた人選をすべきであることは常識上当然であるが、それは法律上の問題ではない。只自由に選定が出来るとは云うものの例えば組合の正当な行為をしたことを理由として或る者を選定したと云う様に不当労働行為に関する労働組合法の規定に該当する場合には不当労働行為としてその者に対する解雇が無効であることは勿論であるから、抽籤によることを適当としない場合、例えば従業員の能率其の他考課の上で差等があると云う様な場合には適当な基準を定めて此の基準に該当する者を選定すると云うことは適宜な方法である」（日立製作所事件、福岡地小倉支決昭二一五・八・一七労民集一・四・五九六）。

(ロ)　主任・課長の職にあつた者が経営方針に全面的に賛成せず、かつ共産党との関係につき答弁を

拒否したこと

【10】「解雇基準に掲げる『不都合ナル行為ノアリタルトキ』というのも『ヤムヲ得ナイ業務ノ都合ニヨルトキ』というのも、使用者の一方的な立場から考察すべきではなく、労使双方の立場を衡量の上会社経営全体の健全性という観点から考えて、そのことを理由として解雇されることは相当であると社会一般人をして首肯させる程度の事由を指すものといわねばならない。蓋し雇用関係は継続的な信頼関係であつて、ことに労働者はこれに立脚して生活しているのであるから労働者が右に述べたような解雇を相当とする事由なくしてたやすくその地位を失わしめられるとするならば労働者の生活の安定は全然期しえられないことになるからである」とし、申請人は名大工学部出身で従業員中唯一の大学卒業者でありながら期待された成績を必ずしもあげなかつたこと、主任または課長在任当時会社経営方針に全面的に賛意を示さなかつたこと、解雇前日社長が申請人と共産党との関係の有無をたずねたのに対して、「答える必要はない」と拒否したこと、中小企業として特に生産実績をあげる必要のあつたこと、等が、いずれも解雇を相当とする事由に該当しないとした（トヨモータース事件、名古屋地決昭二七・一一・一三労民集三・六・五五六）。

(ハ)　解雇事由限定の趣旨は労働者保護にあり、「やむをえない事由」をみだりに拡張適用すべからずとするもの

【11】「債務者会社には昭和二三年五月一日施行の就業規則があり、その第七七条第一項において従業員を解雇し得べき場合を制限的に列挙していることが認められるから、それ以外の事由によつて従業員を解雇することは許されないものと解するのが相当である」。

「債務者代理人の援用する就業規則第七七条第一項第二号、第五号の文書は、甚だあいまいであるといわなければならない。すなわち、右第二号の解雇事由というのは『やむを得ない業務上の都合』であり、第五号

のそれは『その他第一号（精神若しくは身体に故障があるか又は虚弱老衰若くは疾病のため業務に堪えないと認めた場合）及び第二号に準ずるやむを得ない事由のある場合』であつて、それ以上のことは、何も就業規則に記載されていないことが明かである。そこで、かような頗る漠然とした文言を用いている就業規則の条項の意味を捕捉し、これを正確に説明することは甚だ困難であるといわねばならず、結局個々の具体的な場合について適否の可否を考察するの外はないであろう。ただその際に注意しなければならないのは、およそ就業規則をもつて解雇事由を限定している趣旨が労働者の保護を主眼としていることを認識し、右就業規則の条項をみだりに広義に解して不当解雇を助長するような結果にならぬよう、厳につつしまなければならないことである。もちろん就業規則は、労働協約や労働契約とは違つて使用者が一方的に作成するものではあるけれども、一旦出来上つた以上使用者も労働者と平等の立場でこれを遵守し、誠実にその義務を履行しなければならないのである（労働基準法第二条第二項）から、その個々の条項の解釈も、使用者側の単なる都合によつて左右されてはならないものというべきである。しかも、債務者会社の就業規則第七七条第一項が債務者代理人の援用している第二号、第五号と併立的に掲げている解雇事由は、従業員が、〔前記〕第一号、『第七十四条の規定によつて懲戒解雇に処せられた場合』、（三号）並びに『悪質な犯罪行為により禁錮以上の刑に処せられた場合』（四号）の三つであることが疎明されるから、右第二号、第五号に該当する解雇事由も、他の各号と同じ程度に重大なものでなければならないと解すべきである。してみると、特定の解雇処分が右第二号又は第五号によつて正当であると認めることができる場合は、おのづから甚だ限られるものといわなければならないことになる」（川崎重工賃金請求事件、神戸地判昭三二・九・二〇労民集八・五・六四七）。

(二) 規律紊乱・企業の運営存立にえいきようを与える行為及び部課長等と一般従業員との区別

【12】「本件解雇の事由である『会社の都合上やむを得ないとき』の具体的基準について考察すると、被申請代理人の本件解雇の事由と自認する規則第三三条第二号の意味するところは必ずしも申請代理人主張のご

とき事業の縮少等会社側に基因する事由のみに限られず、従業員側の事由に基く場合でも、それが職場の規律をみだすなど企業の運営ひいてその存立に影響を及ぼすことが客観的に認められるかぎり、右事由に該当するものというべきである。

またその具体的事由の確定に当つては、人事権に直接関与する部課長等、その職務内容が会社の利益代表の立場に近づけば近づく程些少な反経営者的行為も企業の円滑な運営に影響するところが多いと考えられるので比較的容易に『会社の都合上やむを得ない事由』として認められるのに対し、その職務内容乃至現実の業務活動が一般的従業員のそれに近づけば近づく程その言動が企業の運営に支障を来たす『やむを得ない事由』とするには慎重でなければならないのは、労働法の精神からして当然である」(南海バス事件、和歌山地判昭三三・三・三一労民集九・二・一五一)。

四　解雇基準を定めた協定は、使用者の解雇権の行使に規範的制約を課し、それによつて労働者の地位を確保する趣旨のものであつて、組合との協定に定められた基準に従つて個々の組合員が解雇された場合に、個々の組合員が当該解雇について争う権利を一切奪われるものでないことは、いうまでもないことである。

右の点に関連して、労働組合と使用者との間に、組合員全員の退職を内容とする協定をなした場合につき、次の如く述べた判例がある。

【13】「労働組合が使用者との間に労働協約を締結するに当つては使用者と労働者との間の労働条件の維持向上を計ることを目的とするものであつて、労働条件の一般的基準となるべきものを内容とする労働協約についてはは労働者においてその拘束を受くることは勿論であるけれども、専ら労働者個人の利害に関する事項については、その労働者においてなおその処分権を失うことはないものというべく、従つて解雇の如き労働者のため重要な事項についてはその受諾の意思がない以上たとえその属する労働組合において使用者との間

に全員退職を内容とする労働協約を締結しても右労働者はこれに拘束されることはないものというべきである」(松崎建設事件、東京高判昭二八・三・二三労民集四・三・二九)。

五　先任権に関する協定

先任権(seniority)の制度は、わが国では殆ど行われていない。ドイツのような制定法上の解雇保護に代るものとして、アメリカでは協約による解雇保護の制度が極めて重要な意味を有し、解雇保護は協約の中心的事項をなしている。先任権は、かような協約上の解雇保護の中核をなすものであるが、一定基準によつて労働者の先任順を定め、解雇に当つては順位の低位の者を先にし、昇給や再雇用等に当つては、上位の者が優先して扱われる制度である。先任順序の決定に関して最も重要な事項は、いうまでもなく基準を何に求めるかであるが、これには企業全体を単位とする場合、企業内の一定作業集団を単位とする場合等、単位決定の問題と、勤続年数という単一の基準に基き先任権を決定する場合、これに勤務成績を加味する場合等、順位決定の方法に関する問題とが含まれる。いずれにせよ、多くのアメリカの労働協約においては、これらの事項が極めて詳細に定められている(片岡「英米労働法の特質」季法二〇号六八頁参照)。

わが国での先任権に関する珍しい事例として、次の如き駐留軍労務者に関する事件がある。

【14】　事件は、全駐留軍労組と日本国、駐留軍の三者の合意により定められた「人員整理の手続に関する臨時指令」(昭二八・一・二六)において、人員整理をなす場合には作業単位毎に職種別に人員を指定し、先任の逆順すなわち勤務期間の短い者から順次解雇該当者を定めなければならないとされていたが、従来ストレージ(弾薬保管課)を単位としていたのに対し、駐留軍が単位を変更してその単位における先任逆順に解雇し得るか否かが問題となつたものである。

判決は、先任順を決定する基準としての作業単位は、陸、海、空三軍によつて組織が違い、同一軍でも組織機構を異にするので施設毎に一律に決定し得ず、従つて軍において使命を効果的に達成するために適当な作業単位を決定する権限を有するものとされ、一旦作業単位の決定がなされた後も作戦計画上の必要から変更しうるものとされていることを認め、原告の、作業単位は臨時指令の発せられた当時における既存のものに限られ、作業場所等で区劃されているものを作業単位と定め、これを随時変更しないとの諒解がなされていた旨の主張は、措信し難いとして、

「池子火薬廠においては右臨時指令の定められたのち昭和二十八年十二月に行われた人員整理にあつては爆薬取扱工の整理についてはストレージを作業単位として整理対象者を決定し、池子火薬廠を経営する神奈川県武山渉外労務管理事務所においても、本件人員整理の要求に基いて整理対象者を決定するにあたつてはじめトスレージを作業単位として整理対象者の名簿を作成していたことが認められる」が、軍は、二九年三月一日以前から同火薬廠のストレージの機構を作業課と企業課に分ち、さらに作業課においては、受入積出部に属するものを労役及び機械班と現場班に分つていたのであつて、特に本件人員整理のためにのみストレージを細分して右の如き機構を作つたものではないと認められるから、「軍が右の機構を定めるに至つたのは作業遂行上何等必要ないにも拘らず敢てこれを改変したものと断定できないしまた本件人員整理によつて特定の労務者を整理するために殊更に従来の作業単位の定めを変更したと推定することもできない。従つて機構変更により将来人員整理に際して将来不利益を蒙るに至つてもやむを得ないものというの外なく本件人員整理は権利の乱用であるとの原告の主張は採用できない」とした(池子火薬廠事件、東京地判昭三〇・一二・二二・二四労民集六・六・一二〇一)。

上にも述べたとおり、先任権制度は、その基準たるべき単位が最も重要な要素であるから、これが相手方によつて一方的に変更されるような場合は、全くその意味を失うというほかはない。従つてか

りに相手方にかような単位変更ないし決定の権限を認めたうえで当該条項が協定されたような極めて例外的な場合は別として、特に従来の単位を基準とした先任順によつて人員整理を行うことが客観的に期待し難い事情のない限り、一旦定められた単位における先任順序に従うべきことは当然である。

三　解雇同意（協議）条項

一　法的性質ないし効力

既述のとおり、判例上最も多く問題とせられたのは、解雇に関し具体的基準を定めた条項よりも、単に一般的に人事特に解雇につき組合の同意ないしそれとの協議を要する旨を定めた協約条項——いわゆる「解雇同意（協議）条項」である。実際にも、このような協約事例の多いことも、すでに表示したとおりである。解雇その他人事に関する具体的基準を協定する場合と比較すれば、この種同意条項・協議条項は、基準化に達するためのいわば方法を示したものとして、明確に基準化された条項の前段階にあると考えられる。同時に、基準化された条項の場合、労働者側においてそれに基く個別的人事決定の問題を未解決のまま残しているのに対し、包括的な同意・協議条項にあつては、その過程にまで労働者の関与が及びうることとなつて、人事権への労働者側の関与の程度が一層広汎である。ただ、両者とも、人事編成にかかわる事項を、もつぱら企業運営上の見地からする使用者の一方的判断に委ねることなく、労働条件条項として、労使の団体的とりきめのもとにおこうとする点においては、本質的な相違はない。

「解雇同意（協議）条項」が、それ自体明確な解雇基準を含まないことから、その法的性質ないし効力について、判例学説上非常な対立のみられたことは、後にもふれるとおりである。この問題については、先ず、旧来の規範的・債務的両協約部分の区別に関する狭隘かつ厳格な基準に対し、根本的な反省が加えられなければならない。一般に、協約の規範的部分とは、個別労働契約の内容たりうべき労働条件に関して定めた条項を意味し、わが労組法第一六条にいう「労働条件その他労働者の待遇に関する基準」の意味も、その趣旨を明かにしたものと解されている。そして、協約の規範的部分やその効力を、一切右の基準に基いて処理しようとするのが、従来の強い傾向である。かような基準を形式的に解し、かつ人事権が「経営権」の中枢をなすことを強く意識する限り、「解雇同意（協議）条項」は、単に労働者の解雇に際しての手続を定めたものであり、使用者は解雇に当つて、協約の相手方当事者たる労働組合の同意を得、またはそれと協議する債務を負担するにすぎず、これに違反しても解雇自体の効力は何ら左右されることなく、たかだか組合に対する使用者の債務不履行が問題となるにすぎないこととなろう。もつともこの点に関する従来の見解を承認しながらも、規範的部分の要件を「個別的規律性」をもつて足るものと解し、右の如き包括的な「解雇同意（協議）条項」も、窮極においてはかような要件を充足するものであるから、規範的部分となりうるとする立場も認められる（例えば、浪江・前掲九三〇頁）。

しかし、冒頭において述べたように、労働協約を本来経営社会内部における規範として把握し、個別労働契約の内容に直接関係のない事項についても、それが経営社会内部において果す機能や意義の点から判断して、一定の規範的性格を有する場合には、それに応じた構成や効力を認めることも可能である。経営参加条項が、経営社会内部の組織ないし制度に関する規範として、経営社会を構成する労働者（従業員）及び使用者の双方を強行法的に拘束するものと解すべきことも、すでに述べたとおりである。このような観点から「解雇同意（協議）条項」の法的性質を検討すると、

(1)　解雇の基準を定めることなく、「解雇については組合の同意を要する」旨定める場合は、一般に解雇基準の設定並びにそれに基く個別的解雇の決定の双方にわたつて労働組合の同意を必要とする趣旨と解され、従つて解雇基準を協定する場合と同一に帰するわけであるが、ただ、使用者の定めた基準について「同意」を与えるという構造からすれば、むしろ経営参加的性格が強いといえよう。この点、「協議決定」を要する旨を定める条項の方が、むしろ本来解雇基準を協定した場合に近い。さらに、基準に基く個別的決定は使用者の「経営権」に専属すべき権限であるとの見地に立つと、この段階について組合の「同意」や「協議決定」の如き積極的関与が許されるか否かが当然問題となりうる。このような立場に立つて、仮りにそれが許されると解するにしても、その趣旨は、経営参加ということとなろう。この場合、本来経営参加の機関たるべき従業員団とは区別せらるべき労働組合が、わが国における企業別組合の特質上、従業員団に代る役割を認められるわけである。

これに対し、単に「協議」「諒解」「諮問」等を定めた場合は、全体として経営参加条項としての性格をもつ。

(2)　解雇に関する具体的基準を定め、その具体的適用に際して組合の同意やそれとの協議を要する

旨定める場合も、⑴に述べたように、経営参加条項となる。

⑶　単に解雇基準につき組合側の関与を認めたと解せられる場合については、⑴に述べたところに含まれるから、問題はない。

かように、「解雇同意（協議）条項」は、経営参加条項としての性格が極めて濃厚である。すなわち、それは、経営協議会その他経営参加のための制度が他に前提されていると否とを問わず、労働組合を経営社会の機関としての地位において捉え、その意思を媒介することによつて、使用者の人事権の行使を、制度化された、ないし規範的な限界づけのもとにおこうとするものである。それが、解雇基準を協定したものと実質上同視せられる場合には、その効力について格別問題を生じないと考えられるが、ただそれ以外の場合において、それが経営参加条項である故のみをもつて、それに違反した解雇の効力が有効とみなされてはならない。それは、確かに労組法第一六条にいう労働条件の「基準」ではないにしても、経営参加という経営内部における根本的制度に関するもので、強行法的効力を有する点には変りはないからである。*

*　懲戒解雇事件に関して、次の如く述べた判例がある。

「労働協約には、組合員の賞罰に関しては会社側と組合側との双方の委員をもつて構成された賞罰委員会に諮り、その賞罰の必要その種類その程度を審議した上これを行う旨定められていることが疎明される。しかして、懲戒解雇について考えれば、この協議約款は、労働者にとつて従業員たる地位の喪失その他の不利益をもたらす解雇に関し、労働組合が労働者の利益のために使用者に資料を提供しかつ意見を開陳して使用者の意思決定に参画する機会を保障し、もつて労働者の地位の確保を期するものと解されるから、賞罰委員会において審議の対象とならなかつた事由をもつて解雇することは許されないものといわねばならない」（アサヒタクシー事件、神戸地判昭三二・一二・二四別冊法旬(35)）。

判例の立場は、大別して次の如く分類しうる。

(1)　債務的部分ないし債務的効力を有する規定と解するもの　かような立場に立つ判例は、比較的少数である。その根拠とするところは、必ずしも同一とはいいえないが、人事が使用者側の独断により決せられるべきものであることを前提として、「解雇同意（協議）条項」の意義を極めて軽く解す傾向が顕著である。例えば、

【15】「会社は特定の場合を除いて組合員を解雇するときは連合会又は組合と協議する」旨の条項は、「賃金その他の給与、労働時間等労働条件に関するものではなく、本来が労働者の意思に拘わりのない使用者の一方的意思決定によつて行い得べきその企業経営権に属する事項であるばかりでなく且つ漠然として組合又は連合会と協議すると規定している点に考えて、特に解雇の際に於ける条件又は一般的な基準を定めた趣旨でなく、結局は解雇の際の手続的な規定であると解するのを相当とする。従つて右条項に違反する本件解雇が無効であるという債権者の主張は之を採用し得ない」（日本セメント事件、東京地八王子支判昭二四・一一・一一労民資七・一四八）。

その他、「組合員の解雇については会社側の独断で行わず」、「一応組合に話をもちかけるという程度のもの」（豊和工業事件、名古屋地判昭二四・二・五労民資三・九二、麓鉱業所事件、長崎地佐世保支判昭二四・九・九同七・一三四）とするのも、同様である。これらの判例では、「人事は使用者の専行すべきもの」という考え方を固定化し、他方「解雇同意（協議）条項」が、人事権の行使をいわば労使の共同決定の方法に委ねることによつて、労働者の地位の強化を図ろうとするものであることを十分に理解しない点に、根本的な問題がある。また、かような立場に立つ判例の

うちには、「解雇同意（協議）条項」が、「その性質上従業員の労働条件の内容とはなり得ない」ことを理由に、それが規範的部分に属することを否定するものがあるが（日本冷蔵事件、仙台地判昭二五・五・二三労民集一・三・四〇九、日立製作所事件、東京地判昭三一・四・二七労民集七・二、二七九頁）、かような見解が狭きにすぎることは、すでに述べたとおりである。*

＊　東京新聞事件（東京地決昭三二・三・一九労民集八・二・一九六）は、「会社は組合員を解雇する場合は、あらかじめ事由を示して本人並びに組合に通知し、組合の同意を求める。組合は通知受領の日から七日以内に異議の申入れができる」、との条項につき、「組合の同意を得ることが解雇の効力発生要件と解することは首肯し難い」とし、その趣旨は、「被申請人社に組合の同意を得る措置に出ることを要求するものであり、……解雇通知に対する組合の異議の申入は被申請人社に……組合と交渉するなどして事案の真相発見に努力し処分の客観的妥当性について再反省する機会を持たせるためのもの」としているが、要は、異議申入を認めた趣旨や、右条項の成立前後の事情等を考慮して、単に解雇に当っての手続を定めた規定と解したものと認められる。

なお、解雇同意(協議)条項が、「基準」を設定するものでないことを理由に債務的部分に属せしむべしとする代表的学説には、吾妻光俊「労働法」（現代法学全書）二五八頁がある。

(2)　規範的部分ないし規範的効力を有するとするもの

(イ)　この立場に属する判例の数は、極めて多いが、その根拠づけは様々である。ただ、それらは多かれ少かれ、この種協定が組合員の地位の強化に向けられている点を強く意識することにおいて、共通したものを含んでいる。その最も典型的な事例として、次の如き判例がある。

【16】「会社ハ従業員ヲ雇傭解雇又ハ転任セシメントスル場合ハ組合ノ同意ナシニハ行ハナイ」旨の規定が、「解雇転任に関するかぎり、組合員の地位を確固ならしめるため設けられたことは、その規定の趣旨にちようし明かであつて、もし右規定をもつて、単に雇用者である被申請人の組合に対し、組合の同意がないか

ぎり、従業員を解雇又は転任せしめない債務を負担するにすぎないものと解するときは、右組合員の地位を強固ならしめようとした右趣旨は大半没却せしめるに至るから、別段の事情の認むべきものがないかぎり、組合の同意は、被申請人のなす解雇又は転任の効力発生要件とする趣旨のもとに定められたものと解するのを相当とする。」（芝浦工機事件、横浜地判昭二四・一〇・二六労民資七・一八五）。

(ロ)　右の立場に、さらに信義則を加味して、同意条項違反の解雇の無効を主張するものに、次の如き判例がある。

【17】「解雇は労働者にとってその労働契約関係を終了せしめるというにおいて最大の待遇変更であつて、その条件は労働者にとつて最も重要な労働条件をなすものといわねばならず、従つて労働協約における解雇条件についての規定は賃金、就業時間等の規定に優るとも劣らぬ程度において労働条件の基準をなす規範を形成し、右基準は解雇の有効要件をなし、右基準に反した解雇はその効力を生じないものといわねばならぬ。このことは解雇の条件として組合の同意を要するというが如き附款のついている場合も同様である。」右協約違反の解雇を当然無効とすることは使用者が解雇の自由を放棄したことになり、生産手段の所有者としての地位を有名無実にするという理由から、「使用者は組合員の解雇につき組合に対しその同意を求めるべき債務を負担するのみであつて、右協約違反の解雇は無効ではなく、使用者はこれによつて組合に対し債務不履行の責任を生ずるにすぎないという見解が存するけれども」、使用者の解雇自由に関する民法の規定は任意規定であり、すでに労組法、労基法等においてもその制限がみられるところであつて、「条件が協約当事者間の債権債務の関係を設定するかのような表現を用いている理由で前記のような区別をすることは均衡を失するばかりでなく、組合員が協約に違反して解雇された場合、組合が使用者に対してその債務不履行を原因として損害賠償できるということはただ理論上そうだという丈けのことであつて、一組合員の解雇による損害の

算定ということは実際上至難の事柄であり、組合が使用者に対して損害賠償を起してかからねばならぬということは事実上右協約の効果を有名無実ならしめ、延いては使用者をして、朝に組合との間に組合員の解雇は組合の同意を要する旨の労働協約を結んでおきながら、夕には右協約の効果の有名無実なるに乗じて協約の規定を無視して解雇を擅行するという甚しく信義に反した行為を許すことになるから右のような見解は到底採用することができない」（新日本新聞社事件、大阪地決昭二四・一一・一一労民資七・二〇四、同旨松下電気産業事件、大阪地決昭二四・一一・二九同二一三）。

以上の諸判例は、一般的な「解雇同意（協議）条項」が、解雇の「基準」を定めたものといいうるかどうかについて必ずしも問題にすることなく、単にそれが労働条件たる解雇に関する規定であることや、信義則を主たる根拠として、その規範的効力を承認しているのであるが、右条項違反の解雇について単に無効であるとのみ判示した他の多くの裁判例（日本製靴事件、東京地決昭二四・一一・一労民資七・一八八、吉川製材事件、岡山地決昭二四・一一・九同二〇〇、世田谷運送事件、東京地決昭二五・二・一三労民集一・一三三、東京護謨事件、名古屋地決昭二五・七・二〇労民集一・四・六一二、西宮タクシー事件、神戸地判昭三一・七・六労民集七・四・六三九等）も、その趣旨は、ほぼ同様のところにあるとみて差支えないであろう。

(ハ)　さらにこの点をより明確にし、この種条項が何らかの意味で労働条件の基準を定めたものと解せられる旨を主張して、これを規範的部分に属せしめようとする立場がある。

学説では、例えば右条項を端的に解雇基準を定めたものとする見解がそれであるが（松岡三郎「労働法概論」二五七頁）、判例では、個々的基準を定めた規範的部分ではないから労組法第一六条の適用はないが、実質上「経営者の恣意的人事に対する組合のコントロールを保障した広義の解雇基準を定めた規定」（松浦炭礦事件、長崎地佐世保支判昭二五・一一・二〇労民集一・六・九八九）とするもの、さらにつつ込んで、「解雇基準の設定」及び「具体的な解雇の当否の決定」という二重の意味において、労働条件の基準を定めたと同一趣旨に帰すると解するものが、それ

である。すなわち、

【18】「会社は解雇について経営協議会において協議することを要するもの」と解せられる協約条項につき、「かかる条項は組合員の解雇にあたり会社は人員整理の必要である所以を明示し解雇基準の設定及び被解雇者の決定について組合と隔意のない意見の交換を遂げるという意味において、労働者の待遇に関する基準を定めたものであるといい得るから」、会社が組合と協議する機会をもつことなく一方的になした本件解雇は、右協約条項に違背して無効」（富士シルク工業事件、甲府地判昭二五・六・一二労民集一・四・五二三）。

右の判例の立場は、「解雇同意（協議）条項」は、「その実質においては、労働条件の基準として規範的部分に属すると認める」（菊池―林「労働組合法」一七四頁）のであるが、「経営協議会」における協議を認めた右の如き協定は、単純な解雇基準の規定というよりも、むしろ使用者の人事に関する権限について労働組合の参加を認めるという経営参加に関する条項というべきである。次の東京地裁の一連の裁判例は、かような見地を正面から打ち出したものであるが、同地裁「日本セメント事件」（東京地決昭二五・一・三〇労民集一・一・一七）は、前掲【18】判例と同様、「解雇同意（協議）条項」にいう「同意又は協議とは、一般的に前以て解雇の基準を設定しておくのではなくして、個々の具体的事案について、個別的に解雇の基準を設定し、当該解雇がその基準に該当するか否かを判断し、その判断の合致を俟つて従業員を解雇するという構造」をもつから、「労働者の待遇に関する基準」を定めたものと解せられるが、さりとてこれを直ちに「解雇基準を具体的に規定した条項と同様のものと考えることも亦適当ではない」として、「本来使用者の経営権の範囲に属する事項に組合が参加するという経営参加を前提とするもの」と述べ、同条項を経営参加条項として理解する方向へ転化せしめる途を開いたのである。

（三）　経営参加条項ないし制度的部分と解するもの　　前掲日本セメント事件に続いて、東京地裁の判例は、ほぼ次のように述べている。

【19】「いわゆる『解雇協議約款』は解雇が労働者にとり、その労働契約関係を消滅せしめる意味において最大の待遇の変更であることに鑑み、これを使用者の一方的な経営権の行使に委ねることなく、労働組合が使用者の意思決定に参与することによつて労働者の地位の確保をはからんとするところに、その存在理由がある。したがつて右約款は、本来使用者の経営権の範囲に属する事項についての組合の経営参加たる性格を基調にもつているものであつて、一面労働者の待遇に関する基準にかかわりをもつとはいえ、その本質はあくまでも経営参加条項と解すべきものである。……（しかしながら、個々の労働者は、解雇協議約款の存続中は、もとより右約款の効果を主張しうるし、又右約款違反の解雇は、単なる債務不履行にとどまらず、無効と解すべきである。これは経営参加が一つの客観的制度たる以上、これに利害関係を有するものは、何人もその存在と効果を主張できるのみならず、一般に制度違反の効果はその制度の目的と重要性によつて無効を招来するや否やが決定せらるべきところ、解雇協議約款は前示の如く労働契約関係の消滅という労働者の待遇に関する最重要事項にかかわりをもつものであるからその制度の目的並びに重要性に照し、右約款違反の効果を無効と断ずるにはばからないからである）」（高岳製作所事件、東京地決昭二五・一二・二三労民集一・五・七七四、同旨日本紙業事件、東京地判昭二六・二・一労民集二・一・九、なお三菱鉱業事件、札幌地判昭二七・八・一二労民集三・四・三五〇、大映事件、京都地判昭二九・九・四労民集五・五・五一五等）。

ただし、「解雇同意（協議）条項」を経営参加条項とみ、これに特有な「制度的効力」を認めようとする東京地裁の判例も、経営参加が「個々の労働者のための制度というよりはむしろ企業経営のいとなみ方に関する全体的な制度であり且つ労働組合がその主体たるべきもの」（高岳製作所事件、前掲）であることとから、個々の労働契約の内容たりうべき労働条件の基準を定めた部分（つまり規範的部分）についてのみ生ずる余後効は、「解雇同意（協議）条項」については認められないとしている。こうした見解は、余後効に対する考え方自体にも問題があるが、むしろそれをも含めて、労働協約の本来的性格とそれに対する法的構成との関連が十分に分析されず、個々の労働契約の内容たりうべき労働条件の基準を定めた部分のみが規範的部分であるとする古い立場をそのまま踏襲していると認められる点において、より根本的な問題を蔵しているといわねばなるまい。けだし、経営参加条項は、経営社会全体にかかわる制度に関するものであるが故に、経営社会の構成員である使用者及び従業員を強行法的に拘束するのであつて、それ自体労働条件部分と並んで労働協約の規範的部分を構成し、余後効についても、労働条件に関する条項と区別して扱われるべき理由はないからである。

(四)　単に「解雇基準の設定」に関してのみ組合の関与を認めた趣旨と解するもの　「解雇同意（協議）条項」は、通常、「具体的な解雇基準の設定」と「個別的解雇の当否の判定」の双方につき組合意思の関与を許すものであることはすでに述べたとおりであるが、これを単に解雇基準の設定についてのみ組合の関与を認め、個別的な解雇についてまで組合の同意または協議を要する趣旨ではないと解する判例がある。

(イ)　このことは、労働協約にその旨明文で規定されている場合や、協約成立当時の事情その他から、当事者がそのような意思をもつて当該協定を締結したと解せられる場合は、問題はない。従つて、

【20】「人事に関する基準は、経営協議会にはかつて実施する」旨の協約条項につき、労働者側は、会社が従業員に対し人事上の各種の措置をとるときは、その必要性とそれに基き行うべき一般的基準の設定とを予

め組合にはかり、組合において会社側に恣意的人事措置があればこれを阻止できることを保障した趣旨であるから、かような手続を経て行われなかつた配置転換は無効であると主張した。これに対し決定は、「会社が人事に関する基準を判定したり又は改廃したりするについては経協の諮問を経て実施すべきものと解釈するのが相当」とし、「これを申請人主張のように具体的に或る従業員の配置転換を命ずる場合には組合の承認を得た一般的基準に基いてなされなければならない旨を定めたものと解釈できないばかりでなく、申請人の全疎明によつても、労使間において、右協約〔条項〕が申請人主張のとおりの意味内容を有する規範として理解されて来たとは認められず、かえつて疎明によれば、労働組合としては、『人事に関する基準』の外になお解雇、異動等をも経協における協議決定事項とするよう協約を改訂する努力ないし会社をして右協約条項の内容を申請人主張のとおりに解釈させる努力をしているが、現実には、会社側において作業体系の変更などによる相当広範囲の人事異動などには、その円満な実施をはかるため経協の協議事項とする程度のことが考えられているに過ぎず、これまで会社側から個々の人事異動を事前に経協の議題とする措置がなく、組合も会社からの異動の通知……があつたのち、意見があれば経協の開催を要求して来たこと」等を理由に、右協約条項が「個々の人事異動をも経協における協議決定事項とする趣旨であることを前提とする申請人の前記主張は理由がない」としている（凸版印刷事件、東京地決昭三二・四・三〇労民集八・二・二二一）。

もつともこの場合にあつても、経営参加によつて労働者の地位の強化をはかることを意図するこの種条項の趣旨から判断して、組合の協議を経ないで使用者が一方的に人事基準を設定し、それに基いて人事を行う場合は、効力を生じないというべきである（反対、沼田稲次郎「経営権特に人事権に関する約款」（労働協約と就業規則所収）一〇八頁）。

(ロ)　右の如き事情が特に認められない場合に、全従業員に一様に定められる労働条件のみが労働協約で定められるべき労働条件であるとの立場から、「会社は従業員の労働条件に関し組合との協議を経ずに従業員に不利益な変更をしない」旨の条項を、「労働条件の基準」についてのみ組合との協議を要する趣旨であると解することは、不当であり、理論的にも誤りである（日本発送電事件、福島地判昭二五・一二・二五労民集一追・一二七五参照）。また、次の如き判例も、その主張のみでは十分に納得せしめられ難い。

【21】　東京新聞事件において、「解雇につき組合の同意を求める」条項が、解雇の際の手続を定めたもので、組合の同意を解雇の効力発生要件とは解せられないとされたことは既述のとおりであるが、同一事件で、協約上交渉委員会を設けること、交渉委員会の協議事項として、(1)組合員の労働条件に関する事項 (2)組合員の人事に関する事項等を定めた場合について、「申請人は個々の組合員の解雇も……『組合員の人事に関する事項』に該当し、交渉委員会で協議承認を経べき事項であるのに拘らず、本件解雇は同会の承認がないから無効であると主張するけれども、疎明によれば……『組合員の労働条件に関する事項』が一般的基準のみを意味することは組合の諒承するところであることが認められるし、また交渉委員会の決定事項の実施に関する第四十七条が『決定した事項は成文化し双方の機関の承認を得たうえ直ちに実施する。』と規定し、その『成文化』『実施』なる文言は通常一般的基準を規定するについて妥当する用語例であること……前記のように異議の正当であることが明かでない限り合意が成立しなくても解雇し得ると解されるものであること……等を考え合せると、……組合員の人事に関する一般的基準についての規定であつて個々の組合員の解雇については適用はないと解するのが相当である」（東京新聞事件、東京地決昭三二・三・一九労働法律旬報別冊二七一号一二頁）。

(ハ)　駐留軍労務者の組合である全駐留軍労働組合と国との間に締結（昭和二七年）された労働協約中、「雇入・解雇に関する事項については協議会で決定しなければならない」旨の条項については、判例は、次のような理由から、一致して雇入・解雇に関する一般的基準を定める場合の規定であり、個々の組合員の解雇についてそのつど協議会で決定する趣旨ではないと解している（大津キャンプ事件、大津地判昭二八・三・一四労民集四・一・六三、横須賀

駐留軍事件、東京地決昭二八・四・一〇労民集四・二・一七八、千歳キャンプ事件、札幌地判昭二九・四・一三労民集五・二・二〇七、同札幌高判昭二九・一〇・二二労民集五・六・八一〇、駐留軍検数員解雇事件、東京地決昭三〇・八・二三労民集六・五・五七二等）。

(a)文言上の理由、すなわち、労働協約第九条に、「団体交渉を民主的且つ平和裡に行い、この協約の完全なる実施を確保するため、労働協議会を設置する」とあり、同第一五条には、「次の各号については、協議決定しなければならない」として、その第五号に「雇入および解雇、退職に関する事項」と規定されているが、単に概括的に「雇入、解雇に関する事項」という表現を用い、個々の解雇につき協議を要する趣旨に用いられる「組合員の解雇については……協議決定しなければならない旨」の表現をとつていないこと。

(b)雇入に関する事項も協議決定を要するとしているが、解雇につき個別的協議を要する趣旨と解すれば、雇入についても個別的協議を要する趣旨となる。しかし、労務者を雇入れる場合一々労使の協議会で協議決定するようなことは通常認められない。また、第一五条の第二号労働時間等、第三号就業規則に関する事項等、いずれも労働者全員を対象とし、その一般的基準を設定する場合に協議決定を要する趣旨を定めたものと解せられること。

(c)第一四条で、中央の協議会は組合員に及ぼす全国的基準を決定し、地方及び労管の協議会はこの基準に定められた範囲内において協議決定する旨定められていること。

(d)協約の締結直後、労働組合の確認を経て発せられた特別調達庁の下部機関に対する通牒も、基準を協議決定し、個々の場合の具体的取扱は特別調達庁で決定する趣旨である旨記載されている等、当事者間の意思がそのようなものである旨推認されること。

(e)駐留軍労務関係の特殊性よりして、国の解雇権を制限して解雇の具体的決定まで協議決定を要するものとは解せられないこと等。*

* なお、同じく駐留軍労務者の事件で、全駐留軍労組相模支部と相模原労管所長との間に成立した、「解雇の予告は組合と協議決定してなす」旨の協定について、右協定が第三者のためにする契約であるとの労働者側の主張を斥け、また使用者が組合との契約に違反した解雇なるが故に当然に解雇を無効とすべき法理を見出しえないとした判例がある（相模基地事件、東京地決昭三一・四・一八労民集七・二・二四一）。

二　同意、協議等の意味

実際の労働協約例では、解雇その他の人事に関して労働組合の関与を認める趣旨として、同意、協議または協議決定、合議、諮問、了解等種々の態様ないし程度を認めている。「同意」とは、いうまでもなく労働組合の同意によつて当事者間に合意の成立することを要する趣旨であり、また「協議決定」とは、協約その他に定められた正規の手続に従い、「双方協議を尽し意見の一致を図ること」（汽車製造事件、岡山地判昭二五・七・七労民集一・四・六〇七）をいう。「協議」は同意と異り、当事者間に合意が成立することを要しないが、単に解雇案を示すだけで使用者側にはじめから審議する意思がみえなかつた場合には、協議とはいいえない。この意味において、「協議とは会社が単に組合の意見を徴するといつた消極的なものではないが、さりとて組合の同意を求めるといつた最も積極的な経営参加の態容でもなく、その中間の態容、即ち、会社及び組合の双方が信義則に基き意見の交換をなし、審議を行う意味に解すべき」である（三菱鉱業事件、札幌地判昭二七・八・一二労民集三・四・三五〇）。もつとも、協議決定といつても、「会社と組合とが協議決定する」というのと異り、

「会社は組合と協議決定する」とある場合は、前後の関係より協議の意味に解せられる場合もありえよう。また「合議」とは、協議と同様、組合の承認すなわち同意を要する趣旨ではないが、「一応組合に話を持ちかける程度で事足れりとするもの」でもなく、「少くとも組合に対し誠意を以て会社の経営状態、経理の内容を公開して組合の意見を徴し、相互に隔意ない意見を交換して組合を十分に納得させる手段方法を講ずることを要する」趣旨である（日本亜鉛鉱業事件、福井地決昭二四・八・一三労民資七・一六八）。「諮問」については、一応「会社が組合の答申を採用すると否とは何等の拘束がない」としても（三光造船事件、大阪地決昭二四・九・三労民資七・一七三）、労働組合の意見を求めて組合の意思を人事に反映せしめるという趣旨においては、同意や協議等の場合と異るところはないといわねばならない。また「了解」については、「『了解』という語の本来の意義は単なる意見の交換以上に相手方に納得を必要とするから『協議』よりもむしろ『同意』に近い」が、「労働法上の信義則の観点からすれば、『同意』といい『了解』といい、あるいは『協議』というも結局は実質上その間に大差ないものと解するのを妥当とする」とするものがある（三菱化工機事件、東京地決昭二五・二・二労民集一・一・五〇。もっとも本事件は、就業規則における解雇了解条項に関するものである）。かように解すると、これらの用語上の差違はあるにせよ、結局次に問題とするように、この種条項がどの程度まで労使間において誠意をもって履行されたかの点が、より重要な問題となろう。かくして判例は、次のように述べる。

【22】「『同意』と『協議』とは本来その性質を異にするものではあるが、実際の運用に当っては、その差は結局程度の差に帰するといい得るであろう。なんとなれば、『協議』というも、単に一応組合との協議に附すれば足るの意ではなく、会社並びに組合の双方が信義則に基いて慎重協議を重ねてもなお妥結に至らず、

又は組合にのみ協議につき信議則違反の廉がある場合にはじめて会社は一方的に解雇権を発動し得るものと解すべきであり、従つて『同意』の場合に『同意拒絶権の濫用』の法理が容認せられるとすれば、『同意』と『協議』との間には実質上大差ないものと認められるからである」（日本セメント事件、東京地決昭二五・一・三〇労民集一・一・一七）。

三　同意ないし協議の程度

かように判例は、「解雇同意（協議）条項」の実際の適用に関して信義誠実の原則を適用し、使用者側に不誠意があるときは、協議の形をとつても協議がなかつたものとして解雇を無効とし、労働組合側に不誠意があるときは、同意拒絶権の濫用の法理を認め、同意なき解雇をも有効として扱つている。この点に関して、かように協議の程度、同意拒否の理由等の如何により、同意、協議を経ない解雇を無効とすべきか否かという極めて困難な問題の判断を裁判所に強いることは不当であるとし、また労使の対抗関係に裁判所の介入を招くこととなるとして、この意味からも、解雇同意（協議）条項は債務的部分に属せしむべしとの見解があるが（吾妻「労働法」前掲二五八―九頁）、反面、労働組合の同意権に対して市民法上の権利に関する理論をそのまま適用することに疑問ありとして、この場合権利の濫用を相当厳格に解すべきであるとの意見がある（松岡三郎「人事約款について」（労働協約・就業規則をめぐる法律問題）一二四―五頁）。労働関係に対してどの程度まで信義則を適用しうるかは極めて重要な問題であるが、かつて東京地裁の一連の裁判例がとつたような、「労資の利害を超えた企業（経営）そのもの」の立場における信義則（柳川真佐夫他「判例労働法の研究」七頁）という考え方は、今日の法律制度のもとでは、依然課題的性格を有するにとどまり、そのまま実定法上の原則として適用することは許されない。同時にまた、最近の諸判例にみられるように、もつぱら資本ないし使用者の立場からみて合理性を欠く解雇を解雇権の濫用なりとする見解、換言すれば「資本ないし使用者の自己抑制」の理論も、一面的といわざるを得ない。結局今日の労働関係においては、あくまで企業の営利性に対する要請に対して、労働者の生存権的要請を対抗・調和せしめつつ処理せられるほかないであろう（片岡「判例における労働関係の理論」法学論叢六三巻四号参照）。以下、具体的な処理の事例を、分類してかかげることとする。

（一）労働者側の同意拒絶を正当とし、もしくは使用者側が誠意ある協議を尽したものと認められないとされた事例　(イ) 使用者側が何ら具体的交渉をなすことなく、解雇案の承認を求めたような場合、労働者側はいうまでもなくそれを拒否しうる。例えば、

【23】工場の賠償工場指定、戦時補償の打切、風水害による赤字融資の整理、需要に比して大規模に失する機械工業部門の縮少等のため、企業整備に伴う従業員の解雇の必要は認められるが、「会社が組合の〔協約所定の〕承認を求めようとするならば、組合に対し、会社の経営状態、経理の内容をつぶさに公開し、相互に隔意のない意見を交換して、誠実に企業の整備並に再建の方法を協議し、組合を十分に納得させて、その協力を求むべき事は、本件労働協約の各個の規定からも伺われるところであるし、また、かかる協議によつて、もし解雇を必要とするときは、その合理的な員数、指名が期待されるのである。しかるに会社が、企業の整備並に再建に付き、何等具体的な交渉をもつことなく、組合の賃上ないし越年資金の要求に際し、解雇案を以て答えたことは、企業経営者としてその責任を十分に尽したものとはいえず、組合が全面的にその承認を拒否したことも、一応その理由がある……」（日本油機事件、東京地決昭二四・三・一五労民資四・八五）。

(ロ) 会社側が終始自己の再建案ないし解雇案を固執し、組合にその同意を求める場合。

【24】「会社の経理内容からみて、その収支が償わず、相当窮迫した状況にあることは推測せられる。そこ

で被申請人〔会社〕はこれが打開のため、大津製造所を含む会社の全部門に亘つて工場閉鎖、人員縮減等による会社再建計画を樹立し、これを経営協議会に提出して組合の同意を得べく数次の接衡を重ねたが、未だ組合の全面的同意を得るに至らず、組合よりなお協議の続行を申入中被申請人より一方的に本件解雇をなすに至つたのである。そこで問題となるのは、前述のような会社経理の悪化の原因がどこにあるか、いいかえれば、会社再建の方策が被申請会社の樹立した案以外に絶対に見出せないのかどうかであつて、被申請人が当初から自己の樹立した再建案を最善のものとし、組合に対し終始これが無条件同意を要求し、組合はなお審議の上でなければ諾否を決し難いとしていたのであつて、右のような事情の下においては、その組合の態度をもつて直ちに不当に同意を拒むものとするのは些か早計のように思われる。更に被申請人が前記人員縮減案において解雇人員を数字的に示したにすぎず、従つて誰が解雇されるかについては具体的に何等の話合いにも入つていないことも、それが果して協約にいう従業員の解雇についての同意を求めたことになるかどうか疑わしい」（日本電機事件、大津地決昭二四・六・六労民資六・五二、同旨世田谷運送事件、東京地決昭二五・二・一三労民集一・一・三三頁）。

(ハ)　多数組合員に意向を表明する機会を与えず、手続が蒼惶として一方的に強行せられた場合。

【25】「被申請人会社はその従業員たる申請人等を解雇するに先だち、……労働組合の大会に臨んで申請人等の解雇につき協定所定の諮問手続を履行した旨主張するけれども、申請人等提出の疏明資料によれば、右諮問手続は極めて不完全であつたことと窺うに十分である。すなわち前記組合大会は被申請人会社の諮問に答える目的で召集せられたものでないのみならず、右諮問手続は未だ組合大会が開会せられる前に組合員の集団に対してなされたに過ぎず、しかも右諮問手続においては一部少数組合員が会社の提案に賛成したに止まり他の多数組合員は未だその意向を表明する暇を与えられず、手続はきわめて倉惶として一方的に強行せられたことを認めることができるのである。しかしてこのような手続の不備をも正当化する程緊急やむを得ない事情が当時被申請人会社に存したことは、被申請人提出のいずれの資料によつても疏明するに足らない

から、右程度の手続の履践をもつては、被申請人会社が申請人等の解雇につき組合に諮問したものとは言い得ない……」（東京護謨事件、名古屋地決昭二五・七・二〇労民集一・四・六一二）。

㈡　使用者側に難局打開のための真剣な努力がなく、かつかかる努力のみでは打開不可能と認められる程事態が切迫しているとは認められないにもかかわらず、組合の同意なしに解雇する場合。

【26】　被申請人会社の解雇理由は、国鉄よりの発注激減に伴う極度の競争、製品販売価格の著しい低落により、経営事情が悪化したことであるが、「然しその影響が被申請人の経営に現実にあらわれて来たのは近々昭和二十四年五月頃からであるからその対策としては被申請人の選んだ人員整理と平均二割の賃下げというような従業員の生活に直接影響する方法でなく、例えば人件費以外の節減技術の向上能率の増進等により、又私鉄等一般の民需方面の受注獲得の努力によつて、あるいはこの危機を乗切る可能が絶無とは未だ断じがたく或はその間国鉄発注の増加や業界における競争の緩和等による製品販売価格の上昇というような経営事情の好転も必無とは断じがたい。申請人も従来の接衝において被申請人に対し、この難局に処すべき対策を協議し危機の打開に努力しようと申入れ賃金も暫定的に一割減額まで承認しようと提案している」。また従来従業員の労働意欲が比較的強く、他工場に比して生産実績も相当高いから、「その協力の効果をむげに否定し去ることは妥当といえまい。それに被申請人は最近までとも角も大した収支の破綻なく経営を続けて来たようであるから、当時申請人の申入れに応じて対策を協議し暫くはそうした努力を試みても、それがため直ちに企業の存続が危くなるという程事態が切迫していたとは思われない。勿論そうした努力だけでは所期の効果があがらず当分は収支均衡は望めないかも知れないが、いやしくも解雇しないという前記の協約が存している以上暫くは解雇を見合わせてその他の方策により、困難な経営を堪え忍んで窮境の打開に努力すべきである。そうした努力にもかかわらずなお経営の困難が打開できず企業維持のためには人員整理の外に途がな

いということが納得されれば申請人……も解雇に同意するに至るであろうし、もしそれでも同意を拒むならばその同意なきまま解雇し得るといい得よう。

然るに被申請人がそうした難局を乗切るための真剣な努力を尽したことと或いは又そうした努力だけでは到底難局打開の見込がなかつたこと、或はそうした余裕がなくて直ちに解雇する以外には経営維持の方法がないという程事態が切迫していたことは本件においては十分疎明されていない。とすれば解雇は被解雇者にとつて、直ちに死活の問題となる現時の社会情勢にかんがみ、申請人が本件解雇に同意を拒んだことを以て直ちに正当の理由なき拒絶とはいい得ない……」（鉄道機器事件、東京地決昭二四・九・二九労民資七・九八）。

㈭　組合から解雇基準該当の具体的事由の提示を求めたのに対し、会社がこれに応じないので組合が協議を打切つた場合。

【27】　解雇同意条項に基き、会社が企業防衛の目的で破壊分子を解雇する旨組合に申入れ、組合との間に五回にわたる協議が行われたが、会社は被解雇者の退職処遇、氏名を提示する一方、被解雇者に解雇通告を発した。その後組合は、被解雇者の基準該当の具体的事由の提示を求めたが、会社は目下退職勧告中であり、これを議する段階ではないとして応じないので、遂に組合は、「今回の会社の措置に対しては白紙で行く、従つて個々の通告者が他の機関で争うかも知れないが組合としては争わない」旨回答、協議を打ち切つた。「右協議の経過から考えると、会社に於て組合に提示したのは、本件解雇の挙に出た趣旨及解雇基準並解雇者の退職処遇及氏名丈であり、基準該当の具体的事由については組合の要望あるにも拘らず之を斥けてその提示を拒んでいる。しかしこのように、組合が基準該当の具体的事由の提示を求めることは、個々の組合員の解雇の当否についてのみならず、その基準が本件の場合におけるが如く特に抽象的に表現せられ、組合としてその真意義を捕捉するに困難であつて、しかもかかる基準の設定、適用の事例が未だ存しない場合に於て

は該基準自体の当否についても之を検討する上から、組合として全く無理からぬ要求といわねばならないから、会社としては或程度組合の右要求に応ずるを至当とすべく、従つて之を全然拒否することは、基準自体の協議としてもその説明を尽したものとは謂い難いと共に個々の組合員の解雇についても適切な協議手段を講じていないものと謂うの外はなく、会社には右協議について信義則に反する嫌があるが、更に右見地から本件解雇について組合のなした前掲回答の趣旨とするところを検討するに、右は組合としては当初、解雇基準の当否について賛否を留保して会社の説明を待つたのに会社に於て前記具体的解雇事由発表拒否の態度を固持したため、結局、最後迄解雇に対する賛否を表明せず、否寧ろ賛否の表明を為すに由なき為、白紙を以てその一線を劃しているものと解するを相当とすべく、組合がこの線を出でて、明示は勿論黙示にせよ、同意を与えたものとは到底看ることができないし、又組合に於て無碍に同意を拒み拒絶の権利を濫用したものとも認められない。会社は前掲協議の進捗段階及組合の回答から推して、組合は事前にその同意権を放棄して基準該当の個々の認定を会社に一任し、唯認定が不当の場合にのみ争うとなし、且終りには右認定を当不当に拘らず組合としては争わないと回答したもので、終局的には組合の同意を得ていると主張するけれども、組合が単に、初めに不当解雇については反対すると述べたことのみを以て右の事前同意権の放棄と見ることは到底できないのみならず、組合の回答の全趣旨は上記認定の通りであるから、会社の主張は採用できない。従つて本件解雇は、……同意約款に違反する」（京阪神急行事件、大阪地決昭二八・三・一三労民集四・一・二三）。

(二)　組合側における協議態度の不誠意、もしくは同意拒絶権の濫用、緊急事態等により、解雇が、「解雇同意（協議）条項」に違反しないとされた事例　(イ)　一応協議のうえ、組合の回答をまつて直ちに解雇したことが、緊急の必要に基き、やむを得ないとされた事例。

【28】　会社経理の状況をつぶさに検討ののち、「かかる状態のままで推移することは、結局池貝の破滅を意

味するに外ならないから、これに対し適宜再建の措置を講じなければならないことはいうまでもないところであるが、池貝の現状は当時危機寸前にあり、この危機を切抜けて企業の継続を図るためには早急に合理化体系を整えて金融資本の援助を待つ以外に途のない事情にあつたことが窺われる。而して合理化方策としては人員整理を前提としない組合側の献策の如きも、もとより一理ないわけではないが、第二次生産計画の失敗その他過去の実績に徴し早急にその実効を期し難いものがあると思われるから、今次の人員整理は当時の池貝としては緊急已むを得ない措置であつたと認めなければならない」とし、産業資本に対する金融資本の制圧、会社経営陣の無能を云々しても、現実の危機打開には何ら寄与するところなく、「また労働者の地位も資本主義経済体制の下においては企業の存立を前提としてはじめて是認せらるべきであるから、今次整理による一部従業員の犠牲は遺憾ながら已むを得ないものといわなければならない」。

会社の協議態度については、「池貝の従業員少くともその組合幹部は従来の対会社との闘争過程を通じて池貝の現状に対して相当深い認識をもつていたものと推測するに難くないから、その労使の立場の相違は暫く措き、池貝存続のためには、完全雇傭の線を固執することなく、人員整理の基本線については、一応これを譲歩し、進んで整理の範囲、整理基準等の協議に入るべきであつたと思われる。もつとも会社の態度において組合側を納得せしめる上において欠けるところがあつたことは否めないが、組合側の態度において池貝の現状に照して余りに自説を固執し過ぎたと思われるふしがないわけでもない。かく考えるとき会社が緊急の必要に迫られたことの余り、時日の遷延を許さずとして、連合会の最後回答を待つて直ちに解雇を発表するに至つたこともあながち協約違反として咎め得ないものがあるといわなければならない」（池貝鉄工事件、東京地決昭二五・六・一五労民集一・五・七四五）。

＊　右の決定趣旨は、本事件に対する異議事件（東京地判昭二六・七・七労民集二・二・一六八）、控訴審（東京高判昭二七・八・九労民集三・四・三三一）、上告審（最判昭二九・一・二一民集八・一・一二五）において、いずれも支持を受けた。

(ロ)　同意拒絶権の濫用に当るとせられた事例。

会社側が誠意ある協議をなさず、或いは組合の同意を得るために十分な措置を講じない場合とちょうど逆の場合に当るわけであるが、判例は、会社の経理状況、経済事情等から判断して、企業の再建、人員整理がやむをえないと認められる場合に、会社が事情を示して組合の協力を認めたにもかかわらず、組合が誠意ある協力を与えないとか、自説を固執して譲らない場合に、組合の同意権濫用を認めている。例えば、

【29】　経済九原則、ドッヂ声明等に基き、経営合理化に伴う人員整理がやむをえないとして認めた後、「被申請人としては前記解雇を実行するに当つては一応申請人組合の諒解を得て行うべきこと勿論であるが、申請人側に於ても右解雇が前述の必要に出たものである以上経済の自立、生産の増大、従つて被申請人工場の経営の維持ひいて国民生活の安定の要求を犠牲としないことを根本理念として之を諒解する義務があり、之を考慮しないで解雇に不同意を称えるのは正当の理由のない同意拒絶と謂わねばならぬから該解雇の効力を左右するものではない。而して申請人側は従前の経営協議会によつて被申請人工場の経理の苦境、従つて今回の人員整理が必至の時期に到達しておりその実施の遷延は窮極において被申請人工場の経営の行詰りを招来し、全従業員の為にも不利益な結果となることを十分洞察していたし、六月四日の協議会で被申請人側から詳細な経理状況の説明を聞き工場再建案による整理の案を示されて、之を検討して右整理は申請人側も当然甘受しなければならないことを認識し、同月六日及其の後も被申請人側と団体交渉を重ねて充分右整理案の再検討の機会を与えられ他面被申請人側は退職金の支払等に十分の誠意を披歴したに拘らず申請人は速かに誠意ある諒解を与えていないものである事実が認められるから右は正に同意権の濫用というのほかない。*」（日本タイヤ事件、福岡地久留米支決）（昭二四・六・二四労民資七・一六三）。

＊　もっとも、本事件は、協約失効後もフェアプレーの精神から、解雇等組合員にとり重大な利害関係ある事項については組合の同意を得て行わるべきであるとしているのであるが、会社の経理状況につき説明のなされた日（六月四日）と同日に解雇通告をなしているのであって、組合側に十分検討の機会を与えたとは認められないふしがある。従って、組合の態度があながち同意権の濫用とはいいえない点のあることに注意。なお、東芝事件（新潟地判昭二四・六・三〇労民資六・三三）、トヨタ自動車事件（名古屋地決昭二五・九・二六労民集一追・一二四）、松浦炭礦事件（長崎地佐世保支判昭二五・一一・二〇労民集一・六・九九〇）等参照。

(ハ)　組合に積極的な再建案がなく、その承認や協議を期待し得ないと認められる場合。

【30】「前段認定のように経営状態は悪化の一路をたどり亀有工場においても、昭和二十五年一月以降一ヶ月七、八十万円程度の損失が予想せられており、従前の計画を変更し、会社全体の運営の綜合的調整を図るため、亀有工場についても早急に企業整備を行う必要があること、亀有工場『新組合』の組合員は被申請人会社の経営者の責任を問うことに急で、組合自身としては何等積極的な企業再建案をもっておらず、再建案の作成はその執行部に一任されていたが、その作成は前記のような執行部の態度に徴し、全くこれを期待し得ないことが一応認められるから、被申請人会社にこれ以上組合側との協議を強いたところで、その承認を得られないことは明かであり、従って解雇基準について協議することも期待し得なかったというのほかはないであろう。従って、このような事態のもとにおいて、被申請人会社が組合側との協議を打ち切って解雇を断行したとしてもその責を問うことはできないと解するのが相当である」（日本紙業事件、東京地判昭二六・二・一労民集二・一・一四）

(ニ)　整理基準については協議が成立したが、整理基準該当者の決定については組合側が無関心で、むしろこれを会社に一任したものと認められる場合。

【31】「被申請人は右解雇に先だち昭和二十五年三月二十三日以降組合との間に十数回の協議を重ね、その

結果組合は同年四月十七日の組合大会において百八十四名の整理員数の枠及び被申請人の提示した一般的整理基準を承認し、同月二十日協定書を作成したものであり、基準該当者の決定につき被申請人にこれを一任する旨の明示の意思表示をしたことはなかつたとはいえ、右協議は主として整理員数の枠と退職金に重点をおいてなされたもので、整理基準該当者の決定については組合は殆ど無関心であり、むしろ被申請人にこれを一任することを前提として協議が終結したものと一応認められる。すなわち組合としては組合員個々人の基準該当決定について問題を生ずる場合に後日不当解雇として争うことを留保したか否かは別として少くとも右該当者の指名自体については被申請人に一任する旨の暗黙の意思表示があつたものと推測することができる」（東京証券印刷事件、東京地決昭二六・六・二七労民集二・三・三四六）。

四　使用者が「解雇同意（協議）条項」の適用を免れうる場合

単に会社の経理状況が窮迫し、人員整理を必要とするのみでは、「解雇同意（協議）条項」の適用を免れえないこと、前記諸判例からも明かであるが（なお吉川製材事件、岡山地決昭二四・一一・九労民資七・一九九参照）、判例のなかには、一定の事情のある場合に、右条項の適用を免れるとしたものがある。

(イ)　先ず、使用者が争議行為としてなす作業所閉鎖に伴い従業員の総解雇をなす場合に、右条項の適用ありとすれば、使用者側の争議行為は全く封ぜられることとなるため、かような場合には右条項の適用はないとするものがある（愛光堂印刷事件、東京地決昭二四・六・四労民資六・一八八）。作業所閉鎖に従業員の総解雇をなすことが必要か否かは別として、たといかような総解雇がなされるとしても、それは争議終了後再雇用することを前提としてのみ許されるものというべきで、一般の解雇とはその性質を異にする。従つて、かような場合に右条項の適用のないことは、性質上当然である。しかしながら、争議中でもかような意味においてではなく労働者を解雇する場合は、右条項に従わねばならないことはいうまでもない。また、組合側が闘争宣言を発したという一事をもつて、協議権の放棄であり、爾後使用者側は協議義務を免れるに至つたものとはいいえない（函館船渠事件、函館地判昭二五・五・一労民集一・二・二八七）。

(ロ)　組合員の脱退や組合の分裂等により、組合が同一性を失つた場合に、右条項の適用を免れうるか否かにつき、組合員が会社設立の親睦団体に吸収されて僅か七名を残すだけとなつた場合に、組合長を介して被解雇者の氏名を通告し、二、三日の考慮を求めたうえ解雇したことが、組合員が極めて少数である事情から、解雇につき協議を経ていないとはいいえないとした判例がある（備前護謨事件、岡山地決昭二五・六・三〇労民集一追・一二四〇頁）。組合員三六四名中九割弱の者が脱退その他により組合を離れるに至つた場合でも、組合は「残留者の存する限り存続することは当然であつて仮令組合員数の増減が甚だしい場合でも、その一事のみから直ちに組合の同一性が左右されたものと考えることはできない」とし、従つて解雇については事前に組合の承認を得べきものとした判例（日本製靴事件、東京地決昭二四・一一・一労民資七・一九一）と、正に対蹠的である。労働組合が同一性を有するか否かは、具体的事情に基き、組合員の範囲、綱領、規約等の諸点から、総合的かつ実質的に判断すべきであるが、組合員の減少という一事のみによつて直ちに労働協約の失効を結論づけることはできない。脱退者が自主的に団結を結成する場合、もとの組合の締結した協約の効力が直ちに新たな団結構成員に及ぶことはないとしても、旧組合に属する従業員の解雇に関する限り、その協約における「解雇同意（協議）条項」の適用を免れえないといわねばならない。

(ハ)　やや特殊な事例として、「解雇同意条項」において同意を要しない場合とされている「本人の

希望によるとき」といううちに、使用者の希望退職者募集に応ずる希望退職が含まれるかどうかの問題がある。判例のうちには、

【32】「本人の希望によるときとあるのは純粋な積極的な本人の希望による退職の場合をいうのであつて、本件におけるように希望退職者実施要綱をかかげ大々的に退職希望者を募集して行うような解雇の場合をも含むと解すべきか否かについては多少の疑義がないわけではない」とし、「現に苦情処理委員会に解決の申請がなされやがてはこの点の解釈が示される訳であるから被申請会社としても平和条項に関する協約の精神を尊重し協約の解釈適用に関する疑義の解決を俟つた上で、本件募集行為を実施すれば足ると考えられるから直ちに本件募集行為を実施しなければならないという程の切実な実情を認むべきものがない以上は、……本件募集行為は苦情処理手続による解決をみるに至るまで、これを差し控えるのを相当」とする（九州電力事件、福岡地決昭二六・七・三〇労民集二・五・五八七）。

とした事例があるが、その趣旨は正当といえよう。これに対し、使用者側が作成した要領による希望退職者募集措置は、「退職を希望すると否とは従業員の自由な意思に委ねられていることが一応認められる」として、極めて形式的に、組合との協議を経べき解雇には当らないとした判例があるが（広島電鉄事件、広島地決昭二八・九・一労民集四・五・四五八）、わが国の協約例では、解雇と退職を区別することなく用いる場合が多いから（労働法令協会「今日における退職金制度の問題点」二一頁参照）、この点を具体的に検討して決する必要がある。

(二)　いわゆるレッド・パージと「解雇同意（協議）条項」の適用の有無については、占領下の特殊事情から、使用者に右条項の遵守を期待することが困難であるとし、次のように述べた判例がある。

【33】「本件解雇は、もともと被告会社に於ても自主的にその必要を感じていたものではあるが、直接的に

は連合国最高司令部経済科学局労働課長エーミスより被告会社並に東宝、松竹の三者代表に対し映画産業より共産主義的勢力を排除する為三者は団結して共産主義者及びその同調者を解雇しなければならない旨の強い示唆を受け即急にその実施を迫られたことに基因するのであつて、しかもこれに先立ち連合国最高司令官の声明、書簡が発せられ政界並に基幹産業の広汎な各分野より共産主義勢力が追放排除されており近く映画産業部門へも及ぼされる予想も持たれるような状勢の下にあつたのであるから、エーミス労働課長の前記指示を連合国より直接被告会社に与えられた至上命令と解し、これが実施に関しては日本国憲法以下の法令や労働協約による制約を受けないとの見解の下に中央経労協議会にこれを附議することなく即急に本件解雇を実施するに至つたことは蓋し占領治下に於ける被治者として已むを得ない事由といわねばならない。かかる事情は使用者として右協議条項を遵守することが通常期待し難い事情であると認めるに足る」（大映事件、京都地判昭二九・九・四労民集五・五・五一五）。

右判決を含め、いわゆるレッド・パージを指示した連合国最高司令官の吉田首相宛書簡が、連合国により日本の国家機関並びに国民に対する法規範を設定したものでないことは、少くも講和後の多くの判例によつて認められているところである（北陸鉄道事件、金沢地判昭三一・二・二四労民集七・一・七〇等）。エーミス労働課長の前記示唆も、単なる示唆にとどまり、「指令または指令の施行命令として被告会社に対し共産主義者乃至同調者を解雇すべきことを法律上義務づけるとは解し得ない」（大映事件、前掲）。とすれば、単に使用者側の立場のみからみて、軽々に「解雇協議条項」の遵守を期待し難い事情ありとは認めえがたいのであつて、労働者側としては、依然右条項の遵守を要求する権利を有するものといわねばならない。いわんや、単に信条ないし思想を理由とする解雇その他の差別待遇は、憲法第一四条、労基法第三条によつて禁ぜられている。むしろ使用者としては、労働組合に対して前記諸事情を詳細に提示して自己の立場の

諒解を求めるべきであり、その意味において、「解雇協議条項」の誠意ある遵守を要請されるものというべきである。従つて、

【34】「一般に現存する協約の拘束力を免れ得べき事由としてはかかる効果を意図する強行法規が考え得るのみであるが、本件の場合かかる法規の存在は何等之を認めることを得ず、会社の主張するが如き当時の総司令部の超憲法的政策の影響力というようなものも固よりかかる協約の拘束力を排除し得べき原由たり得るものではない」（京阪神急行事件、大阪地決昭二八・三・一三労民集四・一・二四、同旨阪神電鉄事件、大阪地決昭二八・一二・二五労働法律旬報別冊一五五号）。

といわねばならない。

(ホ)　協約に格別の定めのない場合、使用者は組合との協議を免れうるか。これについては、判例の立場は対立している。すなわち、「組合と会社との間に解雇について労働協約の定がなかつたのであるから、〔整理基準〕の作成及びその実施につき組合の協議を経なくても、これに基く解雇の効力に消長を来すことのないのは明かである」とするもの（丸大撚糸織物事件、金沢地判昭三三・八・六労働法律旬報別冊三三三・四号）、これに対し比較的初期の判例であるが、信義誠実ないしフェアプレーの原則に基き協議を経べきものとする判例とがある。後者の例をかかげると、

【35】「使用者が人員整理をするについては失業を避けるためにあらゆる努力を払うべきであつて之が為には自発的退職者の募集、余猶のある地域から比較的労働力の不足としている地域への労働者の移動を促進、配置転換、作業方式の科学化等その他経営の合理化等に手段をつくした上で之を為すべく又会社の経営状態の内容を示して整理の必然性につき組合を十分に納得させ整理方法についても組合と協議をした上で為すべきことは労働協約の失効の有無を問わず、信義誠実の原則からも当然のことといわねばならないし、之等の

手段を尽さないときは使用者の誠実性が疑われ人員整理が真実企業の合理化に基くのかどうかに疑問を抱かれる結果となるのである」（杵島炭鉱事件、佐賀地判昭二五・五・三〇労民集一・三・四三二）。

【36】「従前の当事者間の労働協約においては、被申請人が従業員を解雇するには予め申請人組合の諒解を得てこれを行うことになつていたもので、前述のように右協約の失効によつて爾後申請人組合に被申請人会社工場と対等の立場に立つて交渉する権利がなくなつたものと見るのは早計で、矢張り前記協約に規定されていたような従業員の解雇等組合員にとつて重大な利害関係のある事項については組合の諒解（同意）を得て円満に解決さるべきことが労資対等の原則乃至フェアプレーの精神に鑑みても至極望ましいことであつて、このことは現に本件協約失効後においても経営協議会等が運営されている事態に徴しても明かである」（日本タイヤ旭工場事件、福岡地久留米支決昭二四・（ヨ）五一号昭二四・六・二四）。

上例のうちでも、【35】は、組合との協議なき解雇が、不当労働行為もしくは解雇権の濫用等不当解雇を推定せしむべき旨を述べているのに対し、【36】では、使用者との協議をもつて明確に組合側の権利である旨を明かにしているのであるが、ただこれには、解雇諒解条項の失効後における実情も考慮されてのことと推測される。この点を妥協的に解決したものとして、次の例がある。

【37】「会社は長期間にわたつて施行された労働協約を破毀し、就業規則を変更した直後一方的に本件のような大量馘首をなしたことはたとえそれが合法的であつたとしても、馘首のための協約破毀であるとのそしりを免れないであろう。ことに、豊里鉱業所の経営状態は最近著しく好転し、昭和二十四年五月以降は赤字経営を克服して来たものでこれは組合員の真面目な努力にまつところが多大であつたことが認められるのであり、一面失業激増の現下社会事情に思を到すならば、たとえ会社経営上人員整理のやむを得ない事情があるにしても、その時とその方法とにおいて、またその員数と人選とについて一段の考慮を払い且つ法規や協

約にこだわらず、民主的に協調的に事を選ぶべきではなかつたかと考える。しかしながら、本件解雇を以て会社がその経営権をその正当な限界を超えて行使したものと認め得るまでの資料はないから、本件申請はこれを却下する外はない」（昭電豊田鉱業所事件、札幌地判昭二四・一二・二七労民資七・二七三）。

既述のように、使用者の人事権の行使の当否は、単に使用者側の「経営権」の立場からのみ判断さるべきものではない。さらに、少くとも人事の基準については、労働条件事項として労使の団体交渉によつて決定せらるべきこと、既述のとおりであるから、協約において協議の必要が明示されていると否とにかかわらず、使用者は予め解雇基準に関して組合と団体交渉をなすべきものといわねばならない。

五　組合の事後承認と解雇の効力

「解雇同意（協議）条項」における組合の同意ないし協議が事前のものたることを要する趣旨であることは、いうまでもない。何故ならば、

【38】「解雇について組合側の同意を要するとした趣旨は、団結の力によつて組合員の地位を保護しようというところに在るのであるが、解雇の意思表示の前後によつて、組合員相互の団結の緊密さに、いちぢるしい差異のあることは、事態の性質上まぬがれ難いところであり、解雇の意思表示がなされてから後においては、それ以前におけるほどの団結力、従つてその団結力による保護を期待し得ないからである」（日本紙業事件、東京地決昭二五・三・二八労民集一・一・四六なお大林組事件、東京地決昭二五・四・一一労民集一・一・六二参照）。

従つて、事後の承認があつたからといつて、協約に違反してなされた無効の解雇が有効となるものではない。

また、組合が解雇につき異議を申出ないと解雇を承認したものとみなす旨の協約条項のある場合、かかる承認の擬制は、経営制度上使用者の人事権の行使を適法ならしめるにとどまり、それによつて不当労働行為としての解雇、または正当の事由なき、ないしは解雇権の濫用に当る解雇をも正当化するものでないことは、もとよりである。従つて、右承認によつて組合員個人の解雇の効力を争う権利は、何ら制限を受けない（川崎製鉄事件、神戸地判昭三〇・六・三〇労働法律旬報別冊二〇八号、一三頁）。

なお、右と関連して、組合が人員整理に反対し、組合大会においてその旨決議しているにもかかわらず、組合の代表者が団交席上整理を承認する発言をなしたとしても、組合の承認とはいいえない（日本紙業事件、東京地判昭二六・二・一労民集二・一・一一）。

六　「解雇同意（協議）条項」と協約の解約

労働協約の解約一般については、別のテーマで扱われているため、ここでは特に問題とする必要はないが、「解雇同意（協議）条項」との関連においてこの問題を扱つた事例としては、次の如き判例がある。けだし当然の事理を明かにしたものといえる。

【39】「本件協約に於て組合員の採用基本計画、移転、登用、転勤、賞罰、解雇等人事に関する事項、待遇給与に関する事項、並に工場閉鎖、長期休業、操業短縮、組織機構名義の変更、合併、分割等について会社は或は組合と協議することを要し、或は会社組合双方の協議決定によることを要する等或程度組合の経営参加規定が存するのであるが、仮に会社がその経営を存続するためには企業の合理化を要し、人件費節約のため従業員を解雇することが必須の条件であるとしても、右事実を以て直ちに協約締結当時の社会経済事情が激変し、会社に対し協約を守ることを強いることが無理であるということにならない。何となれば、会社の

人員整理の必要性が客観的に認め得る場合には、組合も之を忍ばねばならないのであつて、会社がその然る所以を充分納得出来るように説明し具体案につき協議せんとするにかかわらず、組合が協議に応じない場合或は協議するも組合が故なく反対して協議決定のできない場合には、権利の濫用と認めて会社は組合と協議決定することなく有効に組合員を解雇し得るものであるから、本件協約を守ることは会社にとつて何等苛酷ということは出来ないからである」。従つて、使用者側に解除権の発生を認めえない（戸根無線事件、大阪地決昭二五・二・一六労民集一・一・三七）。

四　採用に関する条項

一　法的性質並びに効力

現存の労働契約関係の内容となりうべき協約条項のみが規範的部分に属するという見地に立てば、現存の労働契約関係とは直接の関係を有しない採用に関する条項は、規範的効力をもたず、単に協約当事者間の契約としての効力を有するにすぎないとせられるであろう。

しかしながら、採用に関する協定も、し細に検討すれば、必ずしも現存の労働契約関係と全く無関係とはいいえない。むしろ、例えば、一定職種における労働者の人数や資格を一定基準に基いて制限し、かかる基準に合致しない労働者の採用を禁止する条項についていえば、かような条項の趣旨は、既に雇用されている労働者ないし組合員を賃下げや解雇から保護し、それによつてその地位を強化することをねらいとするものということができる。かように、既に雇用されている組合員の地位の強化を目的として締結されたものと認められる場合には、採用の基準を定める条項は、解雇基準を定める条項が「労働者の待遇に関する基準」（労組法一六条）であるのと同様な意味において、既に雇用されている「労働者の待遇に関する基準」といわねばならない。

仮りに然らずとするも、使用者の人事権に対する労働者の意思参加を前提として定められた協定であることから、使用者の人事権に制度的拘束を加え、その行使に規範的限界を画す趣旨の条項と解することができる。従つて、協約所定の基準に基かずしてなされた労働契約の締結自体無効であり、当該労働者との間に労働関係は発生しない。

問題となるのは、一定基準に基いて労働者の採用を命ずる旨を定めた条項である。例えば、一定の勤続年数と職種に対する能力とを基準として、臨時工を本工として採用すべき旨命ずるような場合である。この種条項が、採用に応ずる意思を有しない労働者に対して、強制的に労働契約を締結する義務を課すものでないことは、「職業選択の自由」（憲法二二条）並びに「意に反する苦役よりの自由」（同一八条）に照しても明かであるが、しかし、それが採用に関する使用者の権利に対して組合意思の関与を認めることを前提として締結されたものである以上、経営社会における組織規範たる経営参加条項の一種として、使用者の人事権の行使に制度上の強制を課すものといわねばならない。換言すれば、この種条項は、それによつて利益を受けるべき労働者に、使用者に対して労働契約の締結を請求せしめ、使用者に対してはかかる労働者との契約締結を強制するという効力を有する。もつともかような効力は、この種条項を労働協約の債務的部分に属する「第三者のためにする契約」と解する場合と実質的な差違は認められないが、労働者が使用者に対して労働契約の締結を請求し得るのは、「第三者のためにする契約」に基いて生ずる効果というよりも、協約中の組織規範に基く直接の効果というべきであつて、こうした意味においてこの種条項も、一種の規範的効力を有するものと考えて差支えない。*

＊　片岡「労働協約規範と第三者」季刊労働法二六号参照。採用を命ずる条項の性質を、第三者のためにする契約と解するものに、森長英三郎「全日通を揺せた労働協約に関する若干の問題」季刊労働法二五号がある。

なお、ドイツにおいても、採用条項は、労働関係の発生にかかわるもので、現存の労働関係の内容に直接関連を有しない点から、債務的部分に属せしめられていたが、今日西独において、規範的部分として扱われていることは既述のとおりである。

二　再採用を定める条項

西独においては、採用命令条項は、実際上、ストライキまたはロックアウトに際し、労働契約の解約手続を履践して労働関係を終了せしめた場合において、争議終了後締結される組合員の再雇用協定にとり特に意味を有するにすぎないとされるが（Hueck-Nipperdey, a.a.O., S. 224）、わが国においては、かような意味における再採用条項は殆ど行われていないし、格別問題ともならない。むしろ人員整理等に際して、一旦解雇の後一定条件のもとに再採用する旨協定するような場合が多いであろう。しかし、このような場合についての再採用条項も、右に述べたと同一の法的性質ないし効力を有することは疑いない。次の判例は、むしろこれを第三者のためにする契約と解しているようである。

【40】（事実）　退職金規程改訂に関する労働争議に際して、会社は原告等三名を解雇し、組合はこれに対し不当労働行為の申立を地労委に対して行つたが、第三者の斡旋の結果、労組会社間に、原告等三名の退職後

六カ月を経過した場合特別の事情なき限り再採用する旨の仮協定書が調印され、原告等は改めて依願退職したが、会社は特別の事情を理由として再採用を拒否したものである。

「右の仮協定締結までの交渉の過程において、当初には原告等三名は退職後六カ月を経過したときは当然復職する案であつたところ、それでは直ちに原職に復帰させねばならぬようにとれるし、だからといつてそれまで空席を設けておくわけにもならず、実際上不都合があるというので、被告会社側から異議を唱えたために『再採用』ということにしたものであることが認められるし、……原告等三名とも再採用の場合には退職当時より不利にならないようにその際における相当な額の給料を受けるべきことについて右仮協定の当事者間に暗黙の合意があつたものと認めるのを相当とし、……また右の仮協定は、訴外労組が原告等三名のためになしたものであつて、原告等三名が右の仮協定締結と同時にその仮協定書に調印することによつて受益の意思表示をなしたことを認めるに十分であるから、……被告会社は、……原告等が改めて依願退職した……日より六カ月を経過したとき、特別の事情のない限り原告等三名の申出に応じてその際における相当な額の給料でこれを再採用すべき義務を負うに至つたものといわねばならぬ」（出雲鉄道事件、松江地判昭二七・六・六労民集三・二・一六八）。

なお、本事件においては、従組と労組が対立し、従組側は原告等が破壊的争議行為を指導した責任を追求すべきことを主張して、仮協定成立後もしばしば再採用反対を申入れるという事情にあつたため、被告会社はこれをもつて再採用しえない特別の事情に当るとしたが、会社は従組の反対を承知で仮協定書に調印したものであり、かつそれが特別事情に当らぬことを了解していたと認められる点から、右協定にいわゆる特別事情に当らないものとしている。

三　採用に関する協議条項

わが国の労働協約例においては、解雇の場合と同様に、従業員の採用を労働組合の同意ないし協議にかかわらしめるものが多く、具体的基準を規定する事例は、比較的少い（労働省「労働協約全書」四〇七頁。もっとも近時一定労働者の採用を命ずる趣旨の条項が増加しつつある。藤田若雄「人事条項の研究」労働法律旬報二七八号）。かように、採用に関して組合の同意ないし協議を要する旨の条項の趣旨は、一般に、「解雇同意（協議）条項」の場合と同様、組合の経営参加によつて雇用されている組合員の地位を保護することにあるというべきで、従つてその効力についても、両者の間に差違を設ける必要はない。また、同意または協議の程度等、その具体的適用に際して生ずる諸種の問題についても、ほぼ同様な基準に従つて解決することが可能である。次の判例は、この種条項によつて要請される十分な協議がなされたか否かを問題としたものである。

【41】　労働協約において、採用基準につき組合と協議する旨の条項があり、前後三回の交渉が行われたが不調に終り、組合側は定期採用の決定をしてはならない旨の仮処分を求めた。

「会社は所謂電力再編成のためその事務繁忙を極めたとはいえ再編成前後の事情において会社と同様の状態にあつたと思われる北海道東北四国各地区の電力会社においては夫々採用基準について組合と協議決定していることが認められるから、会社が組合から昭和二十六年九月下旬頃協議の申込を受けたにも拘らず年の瀬も押し迫つた十二月二十六日に至つて始めて小委員会を開いたことは会社の怠慢であるというべく、且右小委員会の席上においても会社は時期切迫に藉口して旧職員採用内規を基にして協議を進めることを一方的に求め、しかも自ら内規に規定する公募の方法によらずして所謂縁故募集のみを以て事足れりとし、僅か二回の小委員会の結果から直ちに協議の妥結に至らざることを速断し、組合に通知せずして採用試験を実施し、これがため徒らに組合を刺戟し、その後の団体交渉を決裂に至らしめたともみられないことはないのであつて、会社も協議不成立の責を免れえないということができるけれども、一方組合としても、各職場は退職やパージのため人手不足を生じ一日も早く欠員の補充を望んでいる有様である上定期採用において時期を失する時は人材を集め難くなることは十分諒承している筈であるから前認定の如き会社の事務の事情及び会社は採用決定を留保し、協議の妥結を俟つて訂正された基準に則つて改めて採用決定をしようとする態度を表明している事情等を汲んで徒らに新採用基準の制定及び会社の協約違反のみを問責せず会社が目前に迫つた二十七年度定期採用の一応の基準として提案した旧職員採用内規を暫定的基準としてこれを検討し妥当な基準の設定に誠意を以て協力すべく、右内規が到底協議の基礎となすに堪えられない程の内容であれば自己の方からも案を提示して協議を続行し、早急に基準の成立をはかるべきであるのに、会社だけに提案させておいて自己の側からは積極的な提案をなさず会社の案に異議のみ申立てるが如きは……組合としても誠意ある交渉を遂げたというわけにはいかない」。

「そうしてみると前認定の如き交渉前後の事情及び交渉における双方の態度並びに採用試験を新基準に則つて再実施することによつて生ずる利害得失等を比較考慮すると会社に対し此度の採用を禁止し既に実施した試験を白紙に戻し新基準に則つて再び採用手続を実施させなければならない程誠意において欠けているとはいえない」（中国電力事件、広島地判昭二七・三・三一労民集三・一・三八）。

五　試用期間に関する条項

一　意義ないし効力

労働協約ないし就業規則には、労働者を正式に採用する前提として、当該労働者の企業ないし職種に対する適性を判断するための期間、すなわち試用期間に関する定めがなされるのが通常である。右の期間は必ずしも一定しないが、平均して三カ月前後が最も多い（労働省労基局「就業規則」一一二頁）。

試用期間中の労働者の法的地位については、諸種の見解があるが（予備契約説、停止条件説、解除条件説、労働契約の予約とみる説等)、具体的な協定に即して判断すべき問題である(花見忠「試用契約の法的性質」季労(24))。次の判例は、試用契約と同時に本採用の決定を停止条件とする期間の定めない雇傭契約が成立したものとする停止条件説をとつている。

【42】協約第三四条第二項は、「あらたに採用した者には二ヶ月の試用期間を置き、その期間中に本採用の可否を決定する」とあり、同第三六条には、「会社は組合員を解雇するときは、組合の承認を得なければならない。但し試用者を除く」とあつた。

「これらの規制によれば、会社のする試用契約は、一応労働者を二ヶ月間試に雇うが、会社としてはその間に本採用するかしないかを決定する義務を負担し、会社の本採用決定により試用者は本採用の従業員たる地位(会社と期間の定めのない雇用契約を締結し、月給等の支払を受け、また協約の有効期間中は組合の承認なしには解雇されないなどの地位)を取得するが、不採用の決定があれば、雇用関係は終了する契約と認められる。そして試用期間を設定した趣旨とその期間中に本採用の可否を決定するという協約の文言に照すと、会社はその決定を自己の自由裁量にゆだねているものと考えられないことはない。しかしながら、会社が本採用の基準として内部的に定めた「試用者本採用基準設定の件」の記載によれば、左に該当するものは本採用を行わない。一、就業規則第五十四条及び第五十五条の懲戒に該当する行為のあつた者、二、左右両極端の思想を有する者又はこれ等に準ずる者と会社が認めた者、三、著しく協調性を欠く者、四、家庭環境の甚しくよくない者、五、技能不良の者又は技能不適にて配置転換の職場がない者、六、集団生活に適さない疾患のある者又はそのおそれのある者、としているのであるから、その趣旨は会社の効率的運営に寄与することの期待が困難と考えるべき合理的事由を具体的に列挙したものというべきであつて、会社はそのような事由のない限り本採用とする意思を有し、この内容の試用契約が成立しているものと認めるのが相当である。

従つて、申請人は会社の試用採用により、会社と二カ月の試用契約を締結すると同時に、会社の本採用を妨げるような合理的根拠のない限り本採用の決定がなされることを停止条件とする期間の定めのない雇用契約を締結したものというべきである」（山武ハネウエル計器事件、東京地決昭三二・七・二〇労民集八・四・三九三）。

いずれにせよ、試用期間の制度は、右期間中の勤務状況や成績に基いて試用労働者に対して正式に従業員たる地位を取得せしめる点において、採用に関する条項の一種ともみられるが、一旦企業に組入れられた労働者を正式に採用するか否かの判断に向けられてのみ意味を有する点において、単に一般的な採用に関する基準を定めた条項とは、性質を異にする。換言すれば、試用期間の制度は、当該期間中ないしはその終了時において、試用労働者に正式従業員たる地位を取得せしめるか否かの判断をなすことを使用者に命じ、かような判断が肯定的になされた場合は、当該労働者を正式の従業員として扱うことを義務づけるものである。それは、さきに採用に関する条項に関して述べたところとはより強い意味において、規範的ないし強行的効力を有するものといわねばならない。すなわち、

【43】「六ケ月の試用期間を終え引続き採用されるに至つたときは、試用の当初より採用されたものとする」旨の協定の趣旨は、「六ケ月の試用期間内に社員としての適格性を調査しこれに欠くるところがなければ、会社としては期間の満了と共に当然社員として本採用をすべく、従業員を臨、試用のままの不安定な状態に置かない義務を負うものと解するのが相当である」*（島原鉄道事件、長崎地判昭二九・三・二二労民集五・二・一三四）。

＊　本判決は、従来臨時傭、試用員の中から本採用になるかと思えば、何時までも本採用にならぬという事態であつたため、組合では、何ら本社員と異らない業務に従事しながら、長期間にわたり低賃金と不安定な地位に釘づけられた従業員の地位を安定させ、かつ使用者側の一方的専断を排除するため、争議の結果右

協定が締結された経緯から、右のように述べるが、試用期間本来の性格から一般的にもかようにいうことができる。

従つて、試用期間を経過した後も、労働者を本採用の社員とするか否かを調査決定しないで試用員のまま放置し、労働協約及び就業規則中の本採用社員についての解雇規定によつてではなく、試用期間中の者についての解雇規定によつて解雇することは、許されない（島原鉄道事件、前掲）。

二　試用期間中の解雇

試用期間の終了後、正式の従業員たる地位を取得せしめるに値しないと判断された場合に本契約が締結されないこと、もしくはかような否定的判断の結果本契約の効力の発生が否定されること、または試用当初から労働契約が成立し、試用期間はかような契約の一部分をなすにすぎないと解せられる場合は、解雇により、いずれも、試用労働者の労働関係は消滅する。

かように本契約が成立せしめられない場合とは別に、試用期間中の労働者を解雇することが許されるか否かが問題となる。試用期間中でも、正式に従業員としての地位を取得せしめえないとの判断が確定し、または本採用の可能性がなくなつた場合は、本契約の成立を目的とする試用契約も消滅せざるをえない。また、試用労働者との労働関係自体を継続し難いやむをえざる事由の存する場合には、いうまでもなく解雇が許される。しかし、それ以外の場合については、特に当時者間において解約告知権を設定せざる限り解雇は許されないとする説と、かかる合意のない場合にも告知権を認める説とが対立する（花見・前掲八七―八頁）。前者は、試用期間中の労働者の地位を、独立した期間の定めある労働契約に基く関係とみることから生ずる帰結であり、後者は、「試用労働者は通常の労働者に比して容易に解雇できるというのが試用期間の趣旨」であると解し（外尾健一「試用期間の法理」討論労働法六〇号二頁）、使用者に大幅な解雇権を認めようとする立場に連るものである。

判例は、協約上六〇日の試用期間を定め、「試用期間中の者で従業員として不適当と認められた場合は、会社はこれを解雇する」と規定されている点につき、

【44】「労働協約上試用期間なるものを置いた所以は被申請人が……比較的簡単な方法で鉱員の採用を決定している現状であるので、採用の後鉱員として不適格な者を生ずることは免れずこのためにこの間に現実に稼働せしめて被用者の能力を実質的に調査せんとするところにあると解すべく、この期間中は相当大幅な解雇権——あたかも採否の決定の自由と対応する如き——の行使を被申請人に許容しているものと認められる。従って、労働協約の右条項の趣旨は、もし被申請人において、或る従業員を不適当と認める場合には、この期間中に解雇の意思を表示して、雇用関係を更に継続することを拒否することを得しめんとするものであると解するを相当とする」（日本炭業事件、福岡地決昭二九・一二・二八労民集五・六・六六八）。

と解している。しかし、試用期間中使用者側に「大幅な解雇権」が留保されるといっても、それは、試用期間の性質上試用労働者の地位が、本採用後の従業員のそれに比し不安定であることを意味するにとどまり、試用期間を設けた趣旨、いいかえれば従業員としての適性の判断に基く試用労働関係の解消以外の場合について、一般に認められる法律、労働協約等による解雇保護のための措置が全く認められない趣旨ではないことに注意すべきである。もっとも、右判決は、申請人がシベリヤ抑留の事実及び組合専従者の前歴を黙否したことについて、経歴詐称は道徳的見地からは非難に値するが、これと法律的評価とを混同することは厳につつしむべきことであるとし、「経歴を詐称したことが従業

員として不適当と認められるためには、詐称した経歴が客観的にみて当該企業の能率乃至採算に影響を及ぼす場合であるか又は、経歴を詐称するという行為によって当該従業員がその企業の全労働秩序をみだし或は使用者との間の信頼関係を破る場合であることを要する」（前掲六七〇頁）とし、前記黙秘の事実をもって従業員として不適当と認める理由とはならないとして、比較的正しい立場を示している。*

また、政治的信条のみを理由とする本採用拒否が、憲法第一四条、労基法第三条によって正当とみなされえないことはいうまでもない。

【45】【42】に続いて「申請人不採用の決定的理由は、(イ)会社は従業員の試用採用に当って十分な調査もせず、『共産党の大物が入社したらしいとの他社の者からの注意を得て、あわてて調査した結果申請人に目星をつけたこと、(ロ)申請人は計器の一部の組立に従事し、特に秘密の保持を要する職務に従事していたわけではないこと、などの事情から推して考えると、機密の保持とか米国派遣の困難とかいうのは単なる口実に過ぎないものであって、その真意はむしろ申請人の政治的信条を理由とするにあると認めるのが相当である。従って、かかる措置は、憲法第十四条労働基準法第三条および会社は政治的信条などによる組合員を差別待遇しないことを確認するとの協約第三条に違反する違法の差別待遇というべきである。

本採用の障害となる合理的理由の何も認められない本件においては、申請人に対し会社が協約ないし強行法規に違反する不採用の措置をすることは、条件の成就によって不利益を受ける者が故意にその条件の成就を妨げたことに該当すると認めるのが相当である。そして、申請人は後記のように会社に対し期間の定めのない従業員として扱うべきことを主張しているのであるから、民法第一三〇条により申請人と会社との間に期間の定めのない雇用関係が生じたものと認むべきである」（山武ハネウエル事件、前掲）。

なお、試用期間の終了によつて労働契約関係が消滅する場合は、解雇の問題を生じないから、労基法第二〇条の適用の余地はないが、一四日を超える試用期間の定めをなし、一四日を超えて引続き使用するに至つた試用労働者を解雇する場合は、労基法第二一条に従い、同第二〇条の一ヵ月の予告期間をおくか、一ヵ月分の平均賃金の支払いをなすことを要するものといわねばならない。ちなみに、前掲【44】「日本炭業事件」は、使用者側に相当大幅な解雇権を認める反面、その行使の形式的要件を厳格に解しても使用者側に特に酷ではないとして、三〇日よりも一日だけ不足する解雇の予告を無効と解している。

＊　＊　＊

【補註】【27】京阪神急行事件に対する本案訴訟の判決（大阪地判昭三三・七・一七労民集九・四・四二七）では、組合側のなした「白紙」回答がかえつて「同意」を与えたものと解せられるとして次の如く述べている。

「本件労働協約に所謂『同意』とは、……必ずしも厳格に個々人に存する具体的事由が解雇基準を充足することを承認した上その解雇に同意するのでなければ労働協約上の同意にならない趣旨であると解すべきではなく、組合としては場合により強いて直に箇々的事由の開示を求めず若し後日基準に該当する事由のない者が不当に解雇せられる事態を生じたときは決してこれに同意するものでない趣旨の留保をなして予め包括的に同意をすることも亦労働協約上の同意に外ならないと解せられるのみならず、本件においては前認定のとおり被告〔会社〕が解雇基準並びに該当者氏名を明示した以上、組合としては右該当者が解雇基準に当るか否かは同僚である組合員の職場内外における日常の言動に関する事柄であるから、必ずしも具体的事実を開示されなくとも判断し得る筈であり、基準該当として氏名を明示された個々人の解雇について同意不同意の意見を述べることが必ずしも不可能乃至著しく困難であるとは考えられず、被告が基準や氏名、退職金の額支払方法などを示して組合に対して依願退職についての協議並に解雇についての同意を求めたことは、協議の方法として不可能を強いるものではない……」。

「〔組合側の〕回答の文言上は同意とも不同意とも明示がなされていないのであるが、『組合としては争わない』との表現がなされている以上、少くとも不同意でなかつたことは明かであり、右回答の文理解釈のみからでもむしろ暗に同意を表明していると読みとる方がより自然であるのみならず、更に……証言によれば、組合としては右回答が協約上の同意の意味にとられるであろうことを意識しつつ回答をなしたことが認められるし、当時組合側としては不同意を表明しようと思えばそれをなし得たにも拘らず敢て不同意を表明せず、さりとて同意とも明示せずに前記のような意識の下において回答をなしたのは、本件措置の交渉委員たる原告が組合副執行委員長の地位にあり、而も該当者の一人としてその氏名が発表されている以上、同僚としての情宜から明示的に同意を表明しかねたであろうことは推察に難くなく、また右表明は前後四回に至る委曲を尽した協議、殊にその第四回には箇々的事由開示の問題を廻つて詳細活発な論議が展開された後の結論をなすものであり、……更に組合は右回答をなすと共にかねて組合内に設置していた法廷闘争対策委員会を解散しており、その後組合としては本件措置については何等の異議を申立てずに今日に至つていることは明かであり、以上の論点を考えあわせると、組合は右総括的解答によりそれまで固執していた箇々的事由の説明のない同意をしないとの立場を最終的に放棄し、本件措置に関し包括的に組合としてはこれに同意し個々人が基準に該当するや否やの問題は挙げてそれを個々人の闘争に委ねたものと認定することができる」。

判決文にあらわれた限りでは、占領下にあつた当時、組合が真に自由な立場で同意を与えるべき状態におかれていたか否かは別として、組合側が明示の同意を与えたとはいいえないにせよ、少くも同意権を放棄したと解すべき余地がなくもない。しかし、解雇同意条項が労働者保護のための労働条件として規範的都合とせられる趣旨からいつて、判決のようにそれの適用基準を極めて緩く解することについては、大いに問題があろう。殊に、会社側から解雇基準と該当者氏名の通告をうけただけで、組合側としては、同僚組合員たる個々の該当者の基準該当事実につき、当然に判断することが可能であるとする点は、不当である。けだし、会社側において整理基準該当と判断する事実について組合側の判断の異ることは当然であり、従つて個々人の解雇について同意不同意の意見を述べることはむしろ理論的に不可能というべきものだからである。

経営協議会

久保敬治

はしがき

経営協議会については、周知のように、法律規定による枠が与えられず、その構成、権限とも労働協約に準拠しているために、経営協議会に関する法律問題は労働協約のうちに吸収せられ、したがつて、それ特有の判例はきわめて少数にとどまつている。

しかし、経営協議会制度の理念である経営参加は、労働組合運動にとつて、一つの歴史的な方向といつてよい。昭和二三年以降、経営協議会は、経営参加機関より団体交渉機関へと後退しているにもかかわらず、経営参加は労働協約によつて達成されつつあり、協約闘争の一環として経営参加は推進されつつある。協約自体がすでに経営参加であるといつても過言でなく、かかる傾向は判例上明瞭に看取することができる。だからここには、経営協議会制度の理念である経営参加に関する判例に重点をおきつつ、しかも経営参加が経営協議会よりもむしろ労働協約自体によつて達成されつつある事情を明らかにするために、経営協議会の性格、経営協議会制度の推移について、まず一応の検討を加える必要がある。

一　経営協議会の性格

一　概　説

戦後急速に展開をみた経営協議会制度の重点が、当初、経済民主化の一翼をになうべき経営参加におかれていたことはいうまでもない。二一年七月二七日決定せられた中労委の経営協議会指針も、経営協議会の本質を「産業民主化の精神に基き労働者をして事業の経営に参画せしめる為め使用者と労働組合との協約に依つて設けられる常設の協議機関である」と指摘する。しかし労働協約を設置の前提とし、基盤とする経営協議会であるから、それはまた、協約事項を具体化し、協約当事者間の紛争を解決するための団体交渉機関としての性格を内在せしめたところである。かかる経営協議会の経営参加機関、団体交渉機関という二面性は、現在にいたるまで、強弱の差はあれ、該協議会の核心となつているということができる。

経営協議会による経営参加は、かつては、従業員の待遇、人事のみならず、経営および資本に関する事項にも浸透する。経営協議会の協議事項を「一、企業形態ノ変更、生産計画ノ策定其ノ他社務運営ノ基本方針ニ関スル事項　二、重要ナル予算、増減資、社債ノ募集、投資及利益金ノ処分　三、社長、其ノ他役員ノ選任、辞任及解任」（昭二一・四・二〇締結日鉄協約にもとづく経営協議会規定組合案）等に拡大しようとする労働組合の意図の貫徹された例も少数にとどまらなかつた。しかしかかる経営参加も労働協約を基盤とするかぎり、根本的には労使の妥協にほかならないのであるから、二三年以降の資本反攻、経営権の観念の確立にともない、経営参加、経営民主化を指向する経営協議会制度は解体の危機に直面せざるをえなかつた。二三年六月、日経連は、改訂労働協約の根本方針において、経営権の確認を前提として、経営協議会を経営諸問機関および団体交渉の予備機関に変質せしめるとともに、苦情処理機関をあらたに設置せんと企図するが、かような経営協議会解体化の方向を決定的にうち出したのは、労組法改正を契機とする新労働政策にほかならない（昭二四・七・六労政局長通牒）。それは経営権、人事権の奪還の意図のもとに、経営参加機能を濃厚におびていた経営協議会を分裂せしめ、それにかえて生産委員会、苦情処理機関および恒常的団体交渉を目的とする交渉委員会をみとめようとするものである。経営協議会の分裂による経営参加の思想の否認であつた（松岡「戦後日本における経営参加＝労使協議制」季労(25)四五頁）。これを契機として、その後いくたの消長はあれ、「経営協議会の機能が、漸次経営参加より団体交渉に移行していつたことは争いえないであろう。「経営の円滑な運営を期し団体交渉を平和的に行い、紛議の予防調整を図るために経営協議会をおく」とさだめ、該協議会の協議事項を、採用、解雇、賃金等労働条件の基準に限定する例（昭三〇・九・一〇京阪電鉄協約）が現在一般化しているとみてよい。

経営協議会のかかる経営参加的側面の後退は、より根本的には、わが国の組合が圧倒的に企業内従業員組合であり、また横断的組織たる組合も超企業的規模において労働協約を獲得する力をもつていない事情によるものである。団体交渉、経営参加をともに貫徹することは、企業内従業員組合にとつて余りに重い負荷であろう。団体交渉、労働協約の締結を労働組合がにない、経営参加は、企業内組織である経営協議会にゆずるというドイツ的方式が本来的には理想である。経営参加が企業内の問題として終始しているため、それが超企業的に展開せられていくことは（たとえば西ドイツの連邦、地域経済協議会の設置の問題）、困難というほかはない。経営参加が企業別協約すなわち実質的経営協定を前提とし、基盤としているがために、経営参加機関として出発した経営協議会も、団体交渉機関、つまり交渉委員会化する危険がある。かつては、経営協議会の附議事項とされた人事、経営および資本に関する事項はもとより、労働条件の基準も、直接、協約当事者間の団体交渉の対象となつているのが現状である。経営協議会の権限をめぐる判例がきわめて少数にとどまつているのは、以上のような事情に由来する。経営協議会による経営参加は、団体交渉、労働協約を通しての経営参加に変質したとみることもできよう。経営参加が協約闘争の一環として把握されるゆえんはここにあるのである。故に、経営協議会による経営参加は「団体交渉の変質にすぎない。経営協議会は常置的な団体交渉の機関にすぎない」（津曲「労働法の基礎理論」三五二頁）といつても過言でない。経営協議会の団体交渉機関たる側面の圧倒的顕在化は、経営協議会として、実質的重要性をもたない「小規模の団体交渉」（吾妻「労働協約」四一頁）の場たらしめていることは争えない。

二　苦情処理制度

前述のように、経営参加機関としての経営協議会の解体による経営権の奪還という政策目的の一環として採用せられたのが苦情処理制度であつた。それは元来、労働契約ないし労働協約の解釈、適用に関する個々の労働者の苦情を労使の力関係に立つ団体交渉によらないで解決しようとするものであるが、労働協約に苦情処理手続を登場せしめた情勢そのものがきわめて特異的であるために、該制度に対する理解も協約により区々であるということができる。判例もまた、該制度の理解を欠くうらみがある。協約、就業規則および団体交渉により協議決定した事項の解釈、違反および実施の適否に関する労使間の紛議(それは元来苦情というべきものではない)と、特定組合員の人事についての紛議をともに苦情とし、それぞれ別箇の苦情処理手続にのせらるべきことが協約上予定せられているにかかわらず、特定組合員の経歴詐称にかかる懲戒解雇事件を、前者の苦情処理手続にからませて判断している判例がある(川鉄事件、神戸地判昭三〇・六・三労民集六・三一四)。それは、労働協約の関連規定の綜合的解釈に欠けるのみならず、特定組合員の解雇に関する紛議は、右後者の手続にのせらるべき真正の苦情であるということを認識しないものである。右判例は、苦情処理制度をつぎのように定義する。

【1】「苦情処理は団体交渉の一つの方式であり、職場における紛争を一定の日限のもとに特定の機関で解決する仕組にし、職場における不平不満を適切に解決して労働争議を未然に防止せんとする労資双方の集団的労働関係を規整するもので、直接、個別的労働関係を規整するものではない」。

たとい協約、就業規則等の解釈、違反、実施の適否に関する紛議を協約上苦情として処理することを予定していた場合でも、それは本来的苦情と本質を異にすること、元来「苦情処理が労使の対立的な力関係の上に立つ団体交渉とは異なるものであること」(後藤・判批季労(18)九〇頁)を理解しなければならない。しかし、わが国における苦情処理制度の特異性は、該制度をして一般的に団体交渉手続の一変型、すなわち職場団交の手続に転移せしめているとみられるのであり、右判例のごとき立場も、かかる事情の反映と考えられないことはない。

二　経営協議会の構成と機能

一　構　成

労使協議会との協議を解雇の手続上の要件とする場合、該協議会の構成上の瑕疵は、協約上要請せられている適正な手続をへなかつたものとして解雇処分を無効とした判例があるが（西宮タクシー事件、神戸地判昭三一・七・六労民集七・四・六三八）、他に例はない。経営協議会が団体交渉の予備ないし代行機関化し、その結果、とくに経営権問題の焦点をなす人事約款においては、直接労働組合の同意、協議等を要求する傾向が一般的であるからである。

二　権　限

人事約款において、労働組合にかわり経営協議会が登場している場合は、きわめて少数にとどまるが、つぎの判例は、人事について経営協議会との協議を要件とする協約条項の解釈に関するものである。

【2】「労働協約第十五条には『次の各号については協議会で協議決定しなければならない』とし、その第五号に『雇入、解雇に関する事項』と規定されている。……右の条項には『雇入、解雇に関する事項』とあるだけでこれをもつて直ちに個々の解雇そのものについてまで協議会の協議決定をしなければならない趣旨とは解し難く、また解雇を雇入と並べて書かれているが、個々の雇入についてまで協議会の協議決定を経なければならない趣旨」とも解されない（駐留軍横須賀基地事件、東京地決昭二一八・四・一〇労民集四・二・一七八）。

要は協約条項の解釈の問題であるが、一般的にいつて、人事約款において経営協議会の同意ないし協議を要求している場合は、解雇、雇入等の基準、条件にとどまるべきであるというのが、さきの中労委指針の態度である。けだし、個々の雇入についてまでつねに協議会にかけるということは、協議会の負担の増大を招来するのみならず、労使の協議員代表資格の点からも疑問があるからである。

なお「会社は人事に関する基準、営業、作業、生産に関する方針計画、職制機構の制定並びに改廃については、各事業場限りの事項は事業場別経営協議会、又全事業場に共通する事項は経営協議会にはかつて実施する」旨の協約規定について、それは「会社が人事に関する基準を制定したり又は改廃するについては事業場別経協又は経協の諮問を経て実施すべき旨を定めたものと解釈するのが相当」であつて、これを「具体的に或る従業員の配置転換を命ずる場合には組合の承認を得た一般的基準に基いてなされなければならない」とか「個々の人事異同をも経協における協議決定事項とする趣旨」であると解釈することは不可能であるという判例がある（凸版印刷事件、東京地決昭三二・四・三〇労民集八・二・二二一）。正当であり、附言すべき何物もない。

三　決議の効力

経営協議会において決議した事項は労働協約と同一の効力を有すると協定している場合はともかく、一般的に協議会の決議によつて成立した規定が直ちに労働協約と同一の効力をもち、あるいはその一部としての効力を保持するものと解すべきであろうか。さきの中労委指針は、経営協議会の「決議の効力は労働協約と同一の効力あるものと解すべき」であるとし、協議会の附議事項として附議され、その結果成立した社員規程について、それは実質上労働協約の一部をなし、法的効力を有するという趣旨の判例もある（日発猪苗代事件、福島地判昭二四・一〇・二四労働関係民事裁判集六・六三）。学説のうちにもこれを支持する者もあるが（浅井・本叢書労働法（1）三〇頁）、しかし、協議会の決議がその性質上直ちに協約内容となりえない場合はともかく、その決議が労働条件の基準に関するような場合、該基準の決定は労働協約をとおして行われるのが本則であり、しかも協約が経営協議会制度の基盤となつている事情等を考慮するときには、協議会の決議に対し、一般的に協約と同一の効力を認めることは首肯し難いといわねばならない（吾妻「経営協議会の法律問題」労働法研究一輯四三頁、三六頁）。かかる立場に立てば、右判例の場合、協約当事者たる労働組合の承認を要件としてはじめて、社員規程に労働協約としての効力をみとむべきであろう。もつとも、協議会が協約中の社員規程を具体化するような場合、すなわち社員規程施行細則等を決定したときには、直ちに協約の一部としての効力をもつと考えて差支えない。

四　存　続

経営協議会は労働協約を母胎とするものであるから、協約の余後効力を否定すれば、経営協議会規程も協約と同時に失効すべきものであるし、たとい余後効肯定説をとつても、かかる効力は原則として協約の規範的部分に限定せられるのであるから、協議会規程のごとき労使関係の制度に関する規定（いわゆる制度的部分）にまで余後効はおよぶものでないと解せられる余地がある。余後効否定の前提に立ち、協議会条項の協約と同時的失効を説くつぎのような判例がある（本叢書労働法（1）一一一頁参照）。

【3】「工場経営協議会は前示労働協約に基いて作られたものであるから協約と運命を共にするのは当然である。親は死んでも子は必ずしも死なぬと云うものがあるけれども、経営協議会は子の様なものでなく、協

約の一部である細胞の様なものであり有機体の消滅した後に独りその細胞のみが余命を保つべくもない。従つて経営協議会の規定中に解雇については協議会に附議決定すると云う規定があつても協約が失効した今日それは死文に過ぎないものである」（日立製作所若松工場事件、福岡地小倉支決昭二五・八・一七労民集一・四・五九四）。

なお、経営参加機関たる賞罰委員会に関する協約条項は、協約の債務的部分に属し、したがつて、協約の終了により当然失効し、余後効の問題を生ずることはない、との判例もある（日鉄事件、福岡地小倉支判昭二五・五・一六労民集一・三・三四〇）。しかし経営協議会が、屢述のように、団体交渉の常置的代行機関化しているということを考えると、協約と経営協議会条項との有効期間上の一体性をつねに肯定する必要はないと思われる。団体交渉の代行機関としての営営協議会が継続的に開催されてきた場合には「協約当事者が経営協議会設置についての協約部分のみを独立させてその更新を暗黙に合意しているものと考えられるが、更には一種の慣行が法規範化されるに至つている」と考えてよい（野村「経営協議会」四二頁）。解雇同意約款の余後効を肯定する根拠の一つとして、「協約失効後においても経営協議会等が運営されて来ている事蹟」をあげる判例があるが（日本タイヤ事件、福岡地久留米支決昭二四・六・二四労働関係民事裁判集五・一五一）、それは協約の余後効肯定説の判例として注目せられるばかりでなく（本叢書労働法(1)九八頁参照）、協約の失効と経営協議会の存続とは、また別箇の観点から考えるべきことを暗に説示しているものと解せられる。協議会条項がこの場合、制度的部分、債務的部分のいずれにぞくするかを論ずることはあまり実益がない。右判例の賞罰委員会条項についても、同様に考えるべきである。

三　経営権の意義と機能

一　概　説

前述のように経営協議会による経営参加を阻止し、企業運営に対する使用者の全面的支配を確保しようというすぐれて政策的な意図をもつて登場したのが経営権の主張であつた。すなわち、経営権は使用者に、労働権は労働者にという基本的立場から、経営協議会を通しての経営参加の限界を設定しようとするところに経営権の思想の出発点があつたのである。しかしその後、経営権の観念は、経営権と労働権の相互尊重という思想のもとに、経営参加の問題をはなれ、あまたの労働判例の理論的支柱として援用されるにいたつているが、経営権といわれるものの法的性格はともあれ、使用者には奪うべからざる、あるいは労働者の介入を一切許さない固有の領域があるというのが、かかる判例の一貫せる思想であるということができる。

二　意　義

経営権という用語は、法律学上決して熟したものではない。経営権の意義を明らかならしめるために、ドイツ労働法にいう企業と経営の概念より分析をすすめるものもあるが、経済法、商法においてはともかく、労使関係の問題としては両者をとくに区別する要はない。結局、経営権それ自体が独自の法律的意義をもつものでないことについては、学説は一致しているといつてよい。若干の判例においては、「会社の財産権の表現としての経営権」(長崎地佐世保支判昭二五・一一・二〇労民集一・六・九七九)、「会社のこれらの物件(建物、機械、設備、資材等）に対する所有権と、これを基礎とする経営権」（新潟地判昭二四・六・三労働関係民事裁判集四・三五）、「使用者における生産手段の私有（これに根拠する所謂経営権）」（東京高判昭二五・八・一二刑資五五・一三）等のごとく経営権が所有権に、ねざすことを端的に指摘しているが、正当である。けだし、経営権の法性格は所有権の社会的機能、すなわち生産的機能によつて考察するほかはなく、したがつてそれは、所有権をその生産的機能からみた概念であり、近代的生産様式の変化によつて生じた所有権の変容にすぎないこと、そのいみにおいて、企業所有権の行使の権能ないし権限であり、権利というよりもむしろ権力として把握さるべき性質のものであることについては、右のように異説がないといつてもよいからである（津曲「経営権と労働権」民商法二四巻四号、二五巻一号参照）。したがつて、経営権は右判例のように、単に建物、機械、資材および設備等の所有権のみならず、法律上企業所有者に留保せられている資本に関する機能、生産計画・作業計画等、さらに労働力の処分権を統合し行使していく権能を包含しているものと解すべきである。「経営権は、新聞事業についていえば、新聞事業を組成する資金、物的設備、材料などと従業員を新聞作成と販売という統一目的に合するように統一し運営する権利であつて従業員を除いてそれらの物的生産手段の所有権と統一目的とに基因するものである。編輯権のプレスコードを守り、プレスコードを実施し、あるいは統一的編輯を保持するに必要な権利であつて経営権と表裏一体をなすものであり、経営者に帰属する」という趣旨の労働委員会の命令があるが（京都地労委命令昭二五・三・三一労委命令集二・一一三）、正当であり、経営権の性格について検討を加えた判例がないだけに注目に価しよう。

経営権はかように総体としての企業所有権の権能をさす場合のほか、狭義においては、経営権の中枢ともいうべき人事権、あるいは職制確立の権能等を意味する。具体的問題に応ずる企業所有権の変容と理解すべきことはいうまでもない。たとえば「元来経営権の内容として使用者の有する解雇権限の行使」（京都地判昭二九・九・四労民集五・五・五一五）といい、「会社はその経営権の一部として人事権を有することは理論上当然」であると解し（山形地決昭二四・七・一七労働関係民事裁判集六・一七四）、あるいは、「所有権の社会的機能」として、「⑴ 職務秩序（職制）の確立。⑵ 職場秩序維持のための制度（服務規律とその違反に対する制裁）の設定。⑶ 職場における労働設備（広い意味の労働条件）の管理。」等の権能をあげるごとき判例は（東京地決昭二五・七・三一労民集一・追・一三一六）、いずれも狭義における経営権の内容を明らかにしたものである。

三　経営権行使の制約

経営権の内容が右のようなものであるとすれば、団結行動あるいは労働協約を通して、経営権の行使に制約を加えることは決して不当ではなく、労働法自体がすでにかような経営権の制約あるいは侵害の上に原理的基盤を有しているものとみなければならない。経営権への浸透、すなわち経営参加の具体的限界については後述するところであるが、経営権行使に対する一般的限界を設定することは困難であり、結局のところ、所有権の本来的意義を没却せしめ、それを無意味ならしめるような経営権への干渉は承認できない、というほかはない（吾妻「労働協約」四八頁参照）。経営参加規定たる解雇協議約款の故をもつて、

【4】「如何なる場合に於ても解雇権限の行使は阻止され、その効力は否定されると解することは私有財産としての企業の保有責任を所有者である使用者に帰している現行法制の下に於ては採り得ない見方である」

（大映事件、京都地判昭二〇・九・九・四前出一三五頁）。という判例は、その意と解すべきである。

つぎに経営権行使の社会的制約という面から注目せらるべき判例として、左のものがある。解雇正当事由説の代表的判例としてしばしば引用せられるところであるが、それは人事権にかぎらず、経営権の行使は一般的に企業の公共性の面から考案さるべく、経営権は公共の福祉原則に適合するように行使されねばならないという基本理念に立脚しているものとみてよい。

【5】「企業の公共性にかんがみ、使用者の人事権は、企業の生産性を昂揚するような仕方で行使せらるべく、その生産性の基礎である労働者の生産活動ないし、その生存権を侵害するような人事権の行使は許されない」（東京生命事件、東京地決昭二二・五・八労民集一・二・二三五）。

四　経営権概念の援用

経営権は所有権をその生産作用の面からみたものであり、すぐれて動的、実践的な概念であるが故に、経営協議会による経営参加阻止の理論よりすすんで、労使間の支配関係、権力関係等の理論的根拠として、前述のように、判例上いくた援用されるにいたつた。ここはその詳細にふれるべきところでないから、経営権の観念がいかにうち出されているか、一、二の判例を通して簡単に素描するにとどめる。

(一)　生産管理違法論について　たとえば「生産管理は組合が会社の意見を排除して工場を占拠し、その建物、機械、設備、資料等総てをその支配下に収め組合幹部の指揮の下に商品の生産販売等の企業経営を行うものであるから、会社のこれらの物件に対する所有権と、これを基礎とする経営権とを積極的に侵害するものであることは疑わない」（新潟地判昭二四・六・三前出一三四頁）等。なお、非組合員のガソリン動車の運行を阻止したストライカーの行為に関し、経営権侵害を根拠として、その正当性を否定している判例（松江地判昭二七・九・三〇刑資一〇二・七五六）もある（正田判批・季労(17)七五頁）。

(二)　就業規則制定権について　使用者が事実上一方的に制定する就業規則を法規範と解し、かかる法規範を設定しうる根拠を経営権に求める判例は、かなり多数をしめる（本多「就業規則論における契約説と法規説」労働法(10)四八頁参照）。「就業規則は本来使用者の経営権の作用としてその一方的に定めうるところであつて、このことはその変更についても異るところがない」（最決昭二七・七・四労民集三・三・二七六）、「就業規則の作成変更は、使用者の経営権の範囲に属するもので使用者が一方的に規定し得ることを前提とし」（岡山地決昭二五・四・一四労民集一・二・二七七）等、その代表的なものである。

(三)　ロックアウトの正当性について　「被控訴会社のなした作業所閉鎖の措置はその経営権に基き経営の破綻を防止する必要上已むを得ざるに出た正当の行為であると認めるのが相当である」（福岡高判昭二五・四・一二労民集一・二・一五七）、「作業所閉鎖中多少の人員を臨時雇入れて操業してもそれは自己の企業経営権の自由な活動の範囲内の行為であつてそのことにより作業所閉鎖そのものを違法なものとするものではない」（山口地判昭二六・五・七労民集二・三・二五六）等、それである。

(四)　懲戒権について　懲戒権の本質を、経営権、経営指揮権の必要的補足物とする判例として、つぎのものがある。「雇傭契約を律する信義誠実の原則に背く行為があつた場合に懲戒解雇を為し得ることは使用者の経営権の正当な行使として容認せらるべきものである」（東京高決昭二五・一一・二〇労民集一・六・一〇二七）、「懲戒解雇は、経営秩序維持のため経営者のもつ経営指揮権の発動としてなされるものである」（東京地決昭二五・九・七労民集一・五・七九七）等。

四　経営参加とその限界

一　概　説

経営協議会の団体交渉機関への推移にともない、経営参加の方式が、労働協約を通しての経営参加へと変質している事情については前述のところであるが、経営参加の限界に関する判例の事実関係をみても、かかる傾向をよく看取しうるのである。

しかしわが国の経営参加が原則として個別企業毎に締結される実質的経営協定を通して行われるということは、経営参加の形態なり、経営参加に対する労使の理解なりをきわめて複雑化している。団結行動の原則的適法性が保障されている以上、企業経営への浸透、経営参加権は全面的に承認さるべきものであるが、しかし右のような事情により経営参加の一般的限界を設定することは困難である。経営権の観念もこの場合、明確な指針となりえない。要は、経営権行使の制約のところで言及したように、企業所有権の行使を無に帰せしめるような経営への浸透、あるいは経営参加協定は承認することができないという基本的立場をとりつつ、経営参加の限界を具体的事案に応じて検討しなければならない。

判例上、経営参加の対象として問題にされているものには、解雇、経営および資本に関する事項がある。そのうち圧倒的に多数をしめるのが解雇に対する組合の参加の問題である。かかる現象はもとより、組合の経営参加に対する基本的態度とも関連するが、「解雇について組合がどの程度に参加しうるかということは組織闘争における天王山」であるとみられるに反し（沼田「経営権特に人事権に関する約款」講座労働問題と労働法(4)一〇一頁）、経営および資本に関する事項への参加は、有効期間に限定される協約を基盤とするかぎり、きわめて困難であるからである。後者の参加は、結局西ドイツ的経営参加立法の出現に期待するほかはなかろう。

二　解雇に関する事項

解雇についての組合の参加は、解雇協議（同意）約款の問題であり、その詳細は人事条項にゆだねられるが（協議約款と余後効については、本叢書労働法(1)一〇七頁以下参照）、かかる協議約款を一般的に経営参加協定とみる判例は少数にとどまらない。すなわち、そこに組合の経営参加行為が媒介せられていると解するのであるが、問題は、その効力のとらえ方である。まず、債務的効力しかみとめえず、協議約款違反の解雇を有効とするものとして、

【6】「解雇基準を設定する事、及び其の解雇基準に照し解雇の当否を判定する事、及び解雇の意思を表示する事は本来経営者の権限に属する事であり、組合が之に参加する事を定める協約条項は所謂経営参加として協約の債務的部分に属する。本件協約に於て『懲戒解雇に付ては賞罰委員会（労務委員会）に於て協議決定する』と言う条項は本来経営者の権限に属する解雇の当否の判定に対し組合が賞罰委員会と言う形式を以て経営参加を為す事を定めたものであつて、労働条件乃至労働者の待遇に関する『基準』を定めたものでは

ないから之は協約の債務的部分に属する」(福岡地小倉支判昭二五・五・一六前出一三二頁)。

がある。つぎに規範的効力をもつと解し、協議約款に反する解雇を当然無効とみるものの一つに、前出【4】の判例があり、左のようにのべる。

【7】「而して所謂同意約款乃至協議約款と言われるこの種条項は具体的内容に於て些少の差異はあるであろうが、要するに元来経営権の内容として使用者の有する解雇権限の行使を適正妥当ならしめる為め労働組合に対し許容された一種の経営参加権能と解すべきものであつて、労働者の待遇に関する基準に関する性質のものであるからこれに違反した解雇は無効と見なければならない」。

同旨の判例は、ほかに若干みられる(山形地決昭二四・七・一七前出一三五頁。東京地決昭二五・一・三〇労民集一・一・一七)。これに対し、協議約款にいわば強行的効力としての制度的効力をみとめるものとして、左の二判例がある。

【8】「解雇協議条項は被申請人会社のいわゆる人事権に対する経営参加を認める一の客観的な制度を定めたものであつて、それは単にその規範を定立したものに債務を負担せしめるにとどまらず、関係当事者に対して普遍的に妥当する法的規範を実現するための手段たる行動様式として、特有の効力(「制度的効力」)をもつのであるが、その効力は結局、制度の性格と機能とに照してこれを決定すべきであり、本件のように『労働者の待遇に関する基準』に関連するものについては、その違反を無効とするだけの効力を認むべきである」(日本紙業事件、東京地判昭二六・二・一労民集二・一・九)。

【9】「いわゆる『解雇協議約款』は解雇が労働者にとり、その労働契約関係を消滅せしめる意味において最大の待遇の変更であることに鑑み、これを使用者の一方的な経営権の行使に委ねることなく、労働組合が使用者の意思決定に参与することによつて労働者の地位の確保をはからんとするところに、その存在理由がある。したがつて右約款は、本来使用者の経営権の範囲に属する事項についての組合の経営参加たる性格を

基調にもつているものであつて、一面労働者の待遇に関する基準にかかわりをもつとはいえ、その本質はあくまでも経営参加条項と解すべきである。……（右約款違反の解雇は、単なる債務不履行にとどまらず、無効と解すべきである。これは経営参加が一つの客観的制度たる以上、これに利害関係を有するものは、何人もその存在と効果を主張できるのみならず、一般に制度違反の効果はその制度の目的と重要性によつて無効を招来するや否やが決せらるべきところ、解雇協議約款は前示の如く労働契約関係の消滅という労働者の待遇に関する最重要事項にかかわりをもつものであるからその制度の目的並びに重要性に照し、右約款違反の効果を無効と断ずるにはばからないからである）」（高岳製作所事件、東京地決昭二五・一二・二三労民集一・五・七七四）。

解雇協議約款の経営参加協定たることを承認しながら、その効力についてかようにさまざまな判例があるのは、結局、具体的事案における該協議約款の類型がそれぞれ異なるからにほかならない（沼田・前掲講座一〇五頁以下参照）。ただここには、制度的効力といい、規範的効力というも、実質上なんら異なるところがないということを附言しておきたい。規範としての効力を生ずる規範的部分を単に労働条件その他労働者の待遇に関する基準に限定することなく、かつては制度的部分にぞくするとみられていた経営参加条項（経営および経営組織法上の問題）もそれにふくましめ、規範的効力の拡張を意図する西ドイツ労働協約法（一条一項三条二項）の態度が想起さるべきであろう。

三　経営に関する事項

現行法律制度、とくに会社法上企業所有者に留保されている資本に関する事項と異なり、経営担当者にゆだねられている事項、すなわち、経営方針、職制の変更、生産計画ないし作業計画、長期休業、工場閉鎖等、企業経営上の諸決定に対する組合の参加がここに問題となる。かかる企業経営上の決定に対し組合が協約という手段を通じて参加することは、先述の経営権の性格およびその行使に対する制約という両面から考えて、決して不当視されねばならない理由は存在しないし、株主総会、すなわち資本所有者の権限ともなんら抵触しない。判例もまた、経営方針、職制の変更、工場閉鎖、長期休業等の決定に対する組合の協議的（同意的）参加条項を有効とするが、正当である。ただ右のような事項の決定に対し全面的参加をみとめることは、企業所有権の本来的意義を没却せしめるおそれがあり、かつ経営に関する事項はもとより労働者の待遇に関する基準を定めたものではないから、右のような協議的参加条項からは債務的効力を生ずるにとどまると解すべきである。つぎの判例は、かかる見地に立つものである。

【10】「申請人組合と被申請人会社との間の労働協約には、その第三条に『会社は工場閉鎖、長期休業名義変更土地建物設備機械器具資材等の譲渡転用その他組合員の生活に重大な影響を及ぼす事項については、組合の同意なしには行わない』と、……規定してある。……被申請人の経理の内容からみて、東京工場の経営が収支償わず、悪化の底にあえいでいることはほぼ推察のつくことである。問題は、かような結果に立ちいたつた原因がどこにあるかである。従業員たる申請人組合の労働能率が特に低かつたとはおもわれない。東京工場繁栄への被申請人の努力にやや不足があつたことがやはり前記非運の有力な原因であつたようである。東京工場の経営継続を求めることが現在事実上難きを強いることである以上、従来の経過は如何にもあれ、経理の都合からすると工場閉鎖、長期休業、工場等の譲渡につき同意を拒むことは、正当とはおもわれない。これを拒むことは同意拒絶の濫用というほかない」（国産電機事件、東京地決昭二三・一二・一八労働関係民事裁判集一・二二〇）。

ここに注意すべきは、右説示のうち、工場の譲渡、名義変更等は株主総会の専権事項であり、したがつて、一般的にこれらの事項の決定に対する同意的参加条項の法律上の効力が、資本参加の限界として問題になる。しかし右判例は、工場の譲渡、名義変更等に関する同意約款も、長期休業、工場閉鎖等経営担当者の決定にゆだねられている事項に関する同意約款とならび、当然有効とみているのであるから、後述のように、資本参加についていわば積極説の立場をとつているものとみることができよう(一四五頁参照)。さらに、左の判例も、経営方針、職制の変更等の決定に対する協議約款を【10】の判例と同様に理解するとともに、組織変更、資産の処分等株主総会の専権事項に関する協議約款の有効性を前提としているものと解さねばならない。

【11】「原審の確定したところによれば右協約二四条には『組合は経営権が会社にあることを確認する。但し会社は経営の方針、人事の基準、組織及び職制の変更、資産の処分等経営の基本に関する事項については再建協議会その他の方法により組合又は連合会と協議決定する。……』と規定されているのであつて、この条項は一見、会社の経営権に対し重大な制限を加え、経営の方針、人事の基準等経営の基本に関する事項については常に組合側との協議決定を経ることを要し、いかなる場合においても会社の単独決定を許さない趣旨のように理解し得るが如くである。しかし、企業の利益と損失の帰属者たる企業主にとつてその経営の基本に関する事項は最大の関心事であつて、企業主がこの種事項の決定権を無条件に放棄することは通常あり得ないところであり、右協約条項においてもその本文で経営権の会社にあることを組合が確認していることによりその間の消息が窺い得るばかりでなく、他方企業に参加する従業員にとつても、経営の危機を打開するために必要やむことを得ない場合には、企業主の人員整理の方針に順応することが結局従業員多数の利益ともなり得る関係もあり、その他諸般の事情を考慮すれば、右協定条項は、いかなる場合においても常に会社が一方的に経営上の措置（本件で問題となつている、人員整理方針の決定及びこれに基ずく人員整理の実施

の如き）をとることを許さないものとする趣旨ではなく、主として企業の経営についても会社側の独断専行を避け組合と協議してその意見を充分に会社側に反映せしめると共に、他方会社の趣旨とするところを組合側に了解せしめ、出来得る限り両者相互の理解と納得の上に事を運ばせようとする趣旨を定めたものと解するのを相当とする。従って少なくともある経営上の措置が会社にとつて必要やむを得ないものであり、且つこれについて組合の了解を得るために会社として尽すべき処置を講じたにも拘わらず、組合の了解を得るに至らなかつたような場合において会社が一方的にその経営措置を実施することを妨ぐるものではない」（池貝鉄工事件、最判昭二九・一・二一民集八・一・一二五）。

なお「工場閉鎖、長期休業、操業短縮、組織機構名義の変更、合併分割等については、会社は組合と協議することを要する」旨の協約条項に関し、右二判例と同様に理解するものがある（戸根無線事件、大阪地決昭二五・二・一六労民集一・一・三六）。

四　資本に関する事項

ここに資本に関する事項とは、①企業の合併、解散、資本の増減、営業の譲渡および譲受、組織変更、定款の変更等企業の組織もしくは基礎に変動を生ずる事項、②役員の選任解任に関する事項、③企業の財産状態、営業成績、利益配当に関する計算書類の承認等企業財政に関する事項、④株式配当、転換社債の発行、新株引受権の附与、制限等株主の利益に重大な関係のある事項をさす。いうまでもなく、それらはいずれも株主総会の専権事項であり、したがつて、資本に関する事項に対する協議的参加条項、あるいは資本参加についての会社定款の法律上の効力をどう理解すべきかが、資本参加の限界として問われなければならない。かかる資本参加の限界については、消極説、積極説が対立しているといつてよい（久保「労使の協議機関」季法(23)八五頁参照）。前者の消極説は、資本参加についての組合ないし経営協議会との協議約款、および資本参加に関する会社定款の定めは、いずれも会社法の根本精神を破壊し、企業所有権を無意味ならしめるものであるから、法律上の意義をみとめることは不可能であり、したがつて右の資本参加についての協議約款も単に道義的な意味しかもたないというのであるが、しかしかかる消極説のうちにも、会社自治の自律的制約という商法的側面、および企業における労働の地位の昂揚という労働法的側面から、資本参加に関する原始定款の定めにかぎり、有効とするものがある。会社法との関連において、このような消極説の立場を明らかにした判例はない。これに反し後者の積極説は、資本参加に関する協議約款について、それは該協議に対しさらに株主総会の議決をへなければならないという趣旨に理解すべく、さらに会社定款に資本参加の旨規定している場合には、株主総会をも拘束することになると解し、かかる積極説の承認さるべき根拠を、企業所有権の社会的制約および自由意思による制約にもとめる。つぎの判例は、株主総会の専権事項を組合の承認事項と定める協約条項について、債務的効力をみとめるのであるから、右の積極説の立場をとるものと考える。

【12】（事実）「会社は組合の承認を得なければ解散、閉鎖、合併、売却、長期休業等の従業員に重大なる影響を及ぼす行為をしない」旨の協約条項にしたがい、組合の承認をえなければ解散をしてはならないとの仮処分の決定を求める。

（判旨）「右……の経営参加条項は従業員の待遇に直接関連するものではないから、これに違反してなされた解散も、十分な協議又は組合の承認を得なかつたというだけでは無効となることはない。すなわち、（右協約条項）違反の解散はせいぜい債務不履行の効果を生ずるにとどまるから、これにより申請人組合に回復すべからざる損害を与えることにはならない。従つて、解散につき申請人組合の承認を求むべき旨の仮処分は、その必要性がないというべきである」（キネマ旬報事件、東京地決昭二五・七・六労民集一・四・五八五）。

さきの【10】【11】の判例における工場の譲渡、名義変更等にかかる同意約款、組織変更、資産の処分等に関する協議約款の理解の態度と同様であることはいうまでもない。ただ資本参加に関する協議約款の債務的効力をみとめるに当つて、該約款が労働者の待遇に関するものであるか否かのみ、問題にするのは正当でない。それにさきだち、株主総会の権限に関する会社法の規定との関係が、まだ根本問題として提起せられ、解決されねばならぬからである。

役員の人事に対する労働者の関与は、ドイツにおいては、一九二〇年経営協議会法以来経営参加立法ないし経営参加運動の焦点をなしている。監査役会民主主義の実現といわれるものがこれである。しかしわが国においては、実際上したがつて判例上も、役員の選任解任に対する組合の協議的参加、同意的参加等が問題になつたことは、ほとんどないといつてよい。労働組合の資本参加に対する基本的態度の相違である。これについても理論上、前述の消極説、積極的の対立が可能であるが、「重役の選任は株主総会の専権事項であり、組合の決議だけでは重役の改任は行われるものではなく、組合の決議を容れて経営者が退陣するか否かは経営者の自由であり、そしてそれを容れる意思がなければ組合の意思を無視すればそれまでである。そこには何等経営権の侵害は行われない。もし株主総会にはかつて組合の決議通り重役陣が改任されたとしてもそれは株主総会の決議を経て合法的に改正が行われたものであつて何等そこに経営権の侵害は見られない」（京都地労委命令昭二五・三・三一前出一三四頁）というのが妥当な見解とみるべきであろう。つぎにかかげる判例は、かような役員の人事に対する組合の参加とは直接の関連性はないが、重役の選任に関し組合側の要求を貫徹するための組合活動の正当性について説示したものであり、注目に価する。

【13】（事実）銀行経営民主化のため、かねてから重役の選任については組合と協議すること、さらに組合員中より若干名の重役を選任すべきことを要求していた組合は、重役改選の定時株主総会にさきだち、右要求を貫徹せんがために、株主総会の委任状を株主たる組合員をして蒐集せしめる。ところが、該委任状の蒐集にあたつて、それが銀行経営民主化という組合の要求に出ずるものであり、銀行の使用人として該委任状の蒐集をなすものでないという点について、一般株主の誤解をさけるための特別の注意措置をとらなかつた。ために株主間に、この点について誤解を生ぜしめるにいたる。かかる委任状の蒐集という組合活動の正当性が争われる。

（判旨）「委任状の蒐集を為す者が偶々経営者の使用人であり此れが経営者の方針に反するときは経営者は会社経営権の重要な作用である解雇権を行使し得るに止まるのであつて蒐集自体は有効に継続されることを如何とも為し難いであろう。只其の使用人が労働組合の組合員であり組合活動として委任状を蒐集する場合に労働組合法に依つて経営者の解雇権から保護せられた安全区域内で此の行為を為し得るや否やに争点の中心があるのである。而して単に株主の委任状蒐集と謂うことを抽象的に考えて直に正当な組合活動に非ずとし、或いは経営権を侵害する行為だと謂うのは妥当ではない。蓋し労働組合が株主に対し自己の希望意思を伝え其の了解賛同を求め或いは委任状の交付を求めることは株主総会の意思を自己に有利に決定せんとするもので換言すれば会社最高の機関である株主総会に対し自己の希望意思の採択を求めるもので法律上の性質は広義の請願行為で毫も経営者に対する行為ではないから経営権の侵害と謂うことは出来ない。経営者が株主総会に嘆願する様に労働組合も亦其の必要があり正当として許すべき場合があるであろう。然し他面委任状の蒐集は如何なる場合にも常に労働組合法第七条の正当な組合活動とも断定出来ないのであつて其目的方法其の他の諸般の具体的事情を綜合的に判断して正当なりや否やを決しなければならない。……組合が銀行内部に於て経営者と対立交渉する場合は格別銀行以外の第三者又は株主に働き掛けるとき組合員としての行動なること経営者の意思に従う職員としての行動に非ずして之と独立した又は相反対する行動なることを極めて明白に表現し其の間毫末も誤解なからしめるに付万全の措置を採ることは組合活動をして自主的に正々堂々な運動たらしめるに欠くべからざるもので此の誤解を期待する如き活動は勿論此の誤解を排除するに付き怠慢な活動と雖も労働運動の品位を劣等化し不明朗化するものであつて労働運動の健全な発展の為には極力排斥しなければならない」（北国銀行事件、金沢地判昭二五・三・六労民集一・一・七九）。

以上、経営協議会特有の判例がきわめて乏しいゆえんを明らかにするために、経営協議会制度の本質、それと労働協約との関係に言及せざるをえなかつたこと、および経営協議会制度の一つの理念である経営参加に関する判例に重点をおいたことを、かさねて附言しておきたい。

中央労働委員会裁定

地方労働委員会裁定

判例索引

著者紹介

野《の》村《むら》平《へい》爾《じ》　早稲田大学教授
佐《さ》藤《とう》昭《あき》夫《お》　早稲田大学助手
片《かた》岡《おか》昇《のぼる》　京都大学助教授
久《く》保《ほ》敬《けい》治《じ》　神戸大学助教授

総合判例研究叢書　労働法（4）

昭和34年2月20日　初版第1刷印刷
昭和34年2月25日　初版第1刷発行

著作者　野村平爾
　　　　佐藤昭夫
　　　　片岡　昇
　　　　久保敬治

発行者　江草四郎

印刷者　平尾秀吉

東京都千代田区神田神保町2ノ17
発行所　株式会社　有斐閣
電話九段(33)0323・0344
振替口座東京370番

印刷・新日本印刷株式会社　製本・稲村製本所

総合判例研究叢書 労働法(4)
(オンデマンド版)

2013年2月15日　発行

著　者　野村　平爾・佐藤　昭夫・片岡　曻
久保　敬治

発行者　江草　貞治

発行所　株式会社 有斐閣
〒101-0051　東京都千代田区神田神保町2-17
TEL　03(3264)1314(編集)　03(3265)6811(営業)
URL　http://www.yuhikaku.co.jp/

印刷・製本　株式会社 デジタルパブリッシングサービス
URL　http://www.d-pub.co.jp/

ISBN4-641-91073-1　Printed in Japan